Comment vivre jusqu'à 100 ans
— ou plus...
Diète, vie sexuelle
*et exercices **

** À mon âge, la vie sexuelle passe*
obligatoirement au second plan.

George Burns célèbre cette année ses 80 ans de carrière artistique. Lors du dîner anniversaire, il a parlé de ses projets d'avenir: «Je ne fais que débuter ma carrière. Je ne vais nulle part. Je continuerai à donner des spectacles jusqu'à ce qu'il n'y ait plus que moi!»

Comment vivre jusqu'à 100 ans — ou plus... Diète, vie sexuelle et exercices

GEORGE BURNS

Traduit de l'américain par
Gérard Cuggia

 Editions de Mortagne

Titre original:
How to Live to Be 100 — Or More.
Published by G.P. Putnam's Sons, New York.
Copyright © 1983 by George Burns
All Rights Reserved.

Photo de la couverture:
Peter C. Borsari

Édition:
Les Éditions de Mortagne

Distribution:
Les Presses Métropolitaines Inc.
175 Boul. de Mortagne
Boucherville, Qué.
J4B 6G4
Tél.: (514) 641-0880

Tous droits réservés:
Les Éditions de Mortagne
© Copyright Ottawa 1983

Dépôt légal:
Bibliothèque nationale du Canada
Bibliothèque nationale du Québec
4e trimestre 1983

ISBN: 2-89074-118-4

CE LIVRE est dédié aux
veuves des six derniers
médecins qui ont pris soin
de ma santé.

Table des matières

Si vous avez payé ce livre,
vous pouvez le lire sinon,
mettez-le de côté.

Bon, je suis encore en train d'écrire un autre livre. Celui que vous entamez est le quatrième que je commets. Ce faisant, j'ai appris que pour gagner son lecteur, l'auteur doit particulièrement soigner la rédaction de son premier chapitre. Une fois passé ce cap d'une importance capitale, tout va comme sur des roulettes. J'ai aussi appris que ce n'était pas une chose facile d'écrire un premier chapitre captivant. Voilà, pour tout dire, trois heures que je suis penché sur une feuille blanche sans avoir réussi à composer la moindre phrase intelligente. C'est pourquoi, et il ne faudra donc pas s'en étonner, mon livre commence au deuxième chapitre.

S'il y avait eu un premier chapitre acceptable, en bonne et due forme donc, je vous aurais appris l'essentiel du but que je poursuivais en écrivant ces lignes. Mais je le répète, mon travail commence au *deuxième chapitre* et il n'est plus temps de présenter des objectifs. D'autre part, je vois difficilement comment je pourrais laisser le lecteur dans l'ignorance de ce qui justifie mon travail de réflexion et d'écriture. Au fond, je me demande si je ne vais pas

L'auteur au travail.

commencer par le troisième chapitre, question de contourner la difficulté... Ce faisant, cependant, je risque fort de me retrouver à la dernière page du volume sans avoir écrit la moindre ligne!

Allons, je sais que vous n'y tenez plus et que j'ai piqué au vif votre curiosité. Je cesse donc mes tergiversations et vous explique comment l'idée d'un tel livre m'est venue. C'est un coup de téléphone de mon éditeur qui a lancé l'affaire: «George, me dit-elle (puisque c'est une femme), tu vas écrire un livre. J'ai déjà le titre en tête: Comment vivre jusqu'à 100 ans — ou plus!»

Ce à quoi j'ai répondu: «Le sujet est bon mais je n'aime pas tellement le titre. Pourquoi ne pas retenir quelque chose du genre: Je l'ai fait, faites le donc!?»

«C'est trop vague, dit-elle. Qu'est-ce qui ne te plaît pas dans le titre que je propose?»

«Ou encore un titre comme: Le secret d'un centenaire: George Burns?»

«C'est bête!»

«Ou bien: Les merveilles de l'âge d'or?»

«George, tu n'es pas sérieux...»

J'allais continuer sur ma lancée, quand elle m'interrompit:

«J'offre une avance importante pour la rédaction du manuscrit. Veux-tu, oui ou non, écrire un livre sur le sujet?»

«Si nous prenions un titre comme: Comment vivre jusqu'à 100 ans — ou plus?», lançai-je dans l'espoir d'en arriver à un compromis acceptable.

«C'est le titre parfait!», dit la voix à l'autre bout du fil.

Sur ce, je la remerciai.

C'est franchement formidable d'avoir un éditeur à l'esprit ouvert.

Au point où nous en sommes, vous vous demanderez sans doute quelle(s) peuvent être la (les) raison(s) qui poussent les gens à vouloir vivre jusqu'à 100 ans ou plus. Je vais vous expliquer mais avant, il me paraît nécessaire de préciser que certaines parties du livre ont été écrites avec beaucoup d'humour, d'autres avec sérieux. Ce qui compte en fait, c'est qu'il soit possible de distinguer les parties humoristiques des parties plus sérieuses. De toute façon, je vous préciendrai à l'avance lorsque le tout prendra une tournure plus sérieuse.

Revenons maintenant à notre question: «Pourquoi voudrait-on vivre jusqu'à 100 ans — ou plus?» Je connais bien des gens qui ne sont pas le moins du monde intéressés par l'idée de vivre centenaire. Ce qui est curieux, c'est que tous ceux qui ont une telle opinion... sont relativement jeunes; ils ont entre un et dix ans. On comprend que la question ne les intéresse pas particulièrement. Ils sont beaucoup plus préoccupés par des questions qui représentent un problème crucial à leurs yeux d'enfants, tels la fraîcheur du biscuit que vous leur offrez. Par ailleurs, je ne crois pas me tromper en affirmant que tous les gens que je connais tiennent à la vie. En tant que membre assidu du *Hillcrest Country Club*, je rencontre une bonne soixantaine de personnes chaque jour. J'attends toujours celle qui me dira: «George, la vie ne m'intéresse plus. Ah!, ce que je voudrais mourir aujourd'hui.» La mort ne semble pas très populaire. Voilà bien une mode qui ne *prend* pas. C'est somme toute compréhensible: c'est mauvais pour le teint. De plus, la mort chambarde votre train-train habituel et vous laisse avec trop de temps libre.

Croyez-moi, l'instinct de survie est puissant. Il remonte à l'époque d'Adam et Ève qui, soit dit en passant, sont aussi à l'origine d'un autre besoin qui vaut bien celui qui nous pousse à tant aimer la vie. Réjouissons-nous du choix d'Adam, car nous ne serions pas là s'il n'avait pas croqué la pomme.

Je ne connais donc pas les vôtres, mais pour ma part je connais un bon nombre de raisons qui me poussent à vouloir m'acharner à vivre jusqu'à 100 ans — ou plus. Il y a d'abord le fait qu'à mon âge, le nombre des années ouvre la porte à un humour neuf. Quel est le jeunot qui pourrait dire, pour rire: «Il y a une justice sur terre parce que plus on est vieux, moins on vieillit.» Et quand on me demande de m'expliquer, je dis: «Parce que s'il faut une seule année à un enfant d'un an pour *doubler* son âge, il faut 100 ans à un centenaire pour en faire autant.» Ou je raconte parfois l'histoire suivante: «On voulait entendre «J'avais 24 ans», et personne ne voulait chanter. Mathusalem étant pris, on est venu me voir.» Cela suffit à faire rire tout le monde.

Des artistes comme Bob Hope, Milton Berle et Alan King sont encore trop jeunes pour exploiter comme je le fais des blagues concernant la vieillesse. D'autant plus qu'il est certain que plus on est âgé, plus drôles sont les farces à faire sur son âge. C'est une des raisons pour lesquelles, je l'avoue, j'ai hâte de fêter mes 100 ans.

Quelqu'un qui atteint un âge aussi avancé que Mathusalem (969 ans, paraît-il), a de quoi faire fortune dans le monde du spectacle. Dommage que je n'ai pu utiliser son matériel car j'aurais fait fureur.

Il est rare que l'humour propre à l'âge d'or n'atteigne pas sa cible. Cela arrive cependant. Ainsi, il y a quelques années, j'ai participé à une représentation théâtrale dans une école secondaire de mon quartier. Un groupe de jeunes me suivit jusque dans ma loge après la pièce. Pendant près de dix minutes, je fus soumis à un feu roulant de questions. L'un des enfants m'a demandé s'il était vrai que j'avais commencé ma carrière comme danseur.

J'acquiesçai. Sans attendre, je poursuivis en racontant que j'avais voulu, à mes débuts, danser avec *Madeleine* mais qu'elle avait dû refuser, parce qu'elle était trop occupée à tenir son fusil.

J'ai eu droit à des regards étonnés. Pour le commun des mortels, pour les adultes j'entends, c'était là une blague facile puisque Madeleine de Verchères est un nom qui fait référence à l'histoire du Canada et l'on se doute bien que j'étais beaucoup trop jeune, en 1692, pour prétendre danser avec Madeleine. Mais les enfants n'y ont rien compris. L'un d'eux m'a demandé si Madeleine était bonne danseuse. Un autre élève m'a demandé pourquoi Madeleine n'avait pu lâcher son fusil quelques minutes, pour danser avec moi, puis reprendre son occupation par la suite. Un troisième voulait savoir si Madeleine était la même que celle qui portait un petit jupon de laine et le dernier du groupe avoua candidement ignorer qui était cette Madeleine «la vachère».

Découragé, cela se comprend bien, j'ai simplement répondu: «C'est assez, l'entrevue est terminée.» J'aurais sûrement perdu mon sens de l'humour à essayer de tout leur expliquer.

Je répète qu'il y a pour moi beaucoup de raisons valables pour vouloir vivre jusqu'à 100 ans — ou plus. Je ne doute pas que le sujet vous intéresse aussi, et que vous ayez vos raisons, puique vous avez préféré ce livre à la dernière parution de *Lui*. (Au fait, en y pensant bien, il faut que vous sachiez que ce genre de lectures peut enlever quelques années à votre espérance de vie.) Et tous les messieurs qui me lisent veulent, au plus profond de leur coeur, retarder le moment où leur veuve pourra toucher le montant de leur assurance-vie.

C'est justement pour cela que je connais les raisons qui poussent Mickey Rooney à vouloir vivre jusqu'à 100 ans. En fait, il n'a pas le choix. Il doit vivre le plus longtemps possible s'il veut payer jusqu'au dernier cent les pensions alimentaires qu'il doit à toutes ses ex-épouses. Il n'a pas les moyens de mourir.

Pour Dean Martin, c'est du tout cuit. Il a déjà fêté ses 80 ans. Il ne sera d'ailleurs pas seul à atteindre son but, puisque Jack Daniels, son bon ami, le suit de près.

Nous voici arrivés à la fin du premier — deuxième — ou troisième chapitre. Nous allons maintenant entrer dans le vif du sujet, à savoir *Comment vivre jusqu'à 100 ans — ou plus*. Il y a certaines résolutions à prendre, certaines choses à réaliser. D'abord et avant tout, il faut vivre jusqu'à 99 ans au moins (ceci dit le plus sérieusement du monde).

L'exercice peut faire des miracles. La preuve: regardez-moi (sans trop insister)!

Mes amis me demandent souvent de leur livrer mon secret. «Tu as 87 ans. Tu fais encore du cinéma, tu donnes des spectacles, des concerts, tu endisques, tu fumes le cigare, tu bois du martini par habitude, et tu ne te prives pas de la compagnie de jolies filles. Quel est ton secret?»

C'est très simple. Commençons par la question du martini. Il suffit de placer des glaçons dans un verre, d'y verser une faible quantité de gin et un soupçon de vermouth et d'ajouter une olive pour ainsi déguster une boisson communément appelée «martini».

Je fais aussi beaucoup d'exercice, en marchant plusieurs kilomètres chaque jour. Marcher est encore plus facile que de se préparer un martini. Lorsqu'on considère la chose en toute objectivité, on se doit de reconnaître la simplicité de l'exercice. Marcher consiste à placer le pied droit légèrement en avant du pied gauche. Une fois la stabilité acquise, on place le pied gauche en avant du pied droit. On reprend ainsi, en alternant, un pied après l'autre. Le miracle se produit: on avance sans même s'en rendre compte. Et pour cela, l'olive n'est même pas nécessaire.

Tout le monde vous dira que marcher est bon pour vous. Pourtant, c'est le sport le moins populaire à Beverly Hills; c'est à croire que les gens sont culs-de-jatte. Je ne connais personne qui irait chez son voisin immédiat à pied. Si proche soit-il, on va sortir la voiture. La plupart de mes amis ont même plusieurs voitures. L'un de mes voisins possède un petit véhicule motorisé, semblable à ceux qu'on utilise pour se déplacer au golf. Il lui sert à aller de la porte de sa résidence à celle de sa voiture.

Donc tous les matins, qu'il pleuve ou qu'il fasse beau, je passe au jardin et je marche, parcourant ainsi au moins deux kilomètres. Bon. J'exagère peut être un peu puisque quand il pleut, je laisse Gene Kelly marcher seul sous la pluie. Je lui interdis toutefois de chanter puisque c'est à moi que ce rôle incombe.

Mon parcours ne varie jamais. Je me rends d'abord à la piscine, dont je fais une fois le tour, puis je passe de l'autre côté de la haie avant de revenir sur mes pas. Je reprends ce petit circuit quarante fois afin d'atteindre mon objectif de deux kilomètres. J'avoue qu'il m'arrive parfois de faire des accrocs à la routine et qu'au lieu de faire le tour de la piscine, je passe au travers. Comme je n'ai jamais réussi à marcher sur l'eau, ces promenades-là se terminent par un bon bain. Je ne m'en tiens pas rigueur puisque la natation est aussi un très bon exercice.

Je vous recommande donc de marcher chaque fois que cela vous est possible. C'est un exercice libre, qui ne coûte rien et vous permet non seulement de vivre plus longtemps et en meilleure santé, mais aussi de paraître plus jeune. Cela compte énormément selon moi. J'ai toujours accordé beaucoup d'importance à l'apparence physique. Bien sûr, je suis parfaitement conscient de ne pas avoir le profil de Burt Reynolds. Il doit bien savoir, lui aussi, qu'il n'a pas non plus ma silhouette. Cela le regarde. S'il tient à me ressembler, il n'a qu'à sortir sous la pluie, lui aussi, en compagnie de Gene Kelly.

Attention cependant. Pour la marche, comme pour tout bonne chose, l'excès est condamnable. Un de mes voisins qui s'est laissé convaincre des vertus de la marche à pied a décidé de marcher dix kilomètres par jour. Il y a six mois de cela. Ces jours derniers, il m'a téléphoné de Vancouver et m'a proposé, pour me remercier, de m'envoyer une pleine caisse de saumon du Pacifique en conserve.

Quant à ceux qui trouvent ennuyeux de marcher, ils feraient bien de jouer au golf. Le sport en lui-même est intéressant, d'autant plus qu'il se pratique au grand air. Le seul ennui, en ce qui me concerne, c'est qu'au club dont je fais partie, il est rare qu'on accepte d'aller à pied. D'un trou à l'autre, les déplacements se font dans ces petits véhicules motorisés dont l'usage abusif explique que les «caddies» (qui vont à pied, il va sans dire) ont toujours une mine resplendissante alors que les golfeurs ont une mine à faire peur.

Si vous souhaitez vivre jusqu'à 100 ans ou plus, vous ne pouvez vous asseoir et attendre que le temps passe. Vous devez vous rappeler, tous les matins, le but que vous visez et agir en conséquence. C'est sans doute là le secret de la longévité. En plus de marcher régulièrement, je m'impose chaque jour un programme d'exercices physiques. J'agis donc. Les exercices varient sensiblement selon les objectifs que l'on poursuit. Ceux que j'ai choisis me gardent en forme et en santé, m'assurent de conserver un poids stable et me permettent de me sentir bien dans ma peau. Vous vous doutez bien que je n'en suis pas au point où il est raisonnable de jouer les culturistes, ou de chercher à grandir. À mon âge! Une de mes amis s'amuse à prétendre que les personnes musclées ont finalement bien du poids en trop, ce qui expliquerait, selon elle, qu'elles tombent plus souvent que la plupart des gens. Simple question d'équilibre. Cela reste à vérifier. (Avez-vous déjà vu Chestay Morgan perdre l'équilibre?)

Voici donc l'ensemble des exercices qui constituent le programme que je m'impose. Il me faut chaque jour y consacrer une demi-heure environ. J'ai choisi, pour ma part, de les faire au saut du lit, avant le petit déjeuner. Notez que les cinq premiers exercices se font allongé sur le dos.

Programme d'exercices.

No.1 — Élévation du bassin

(Idéal pour un début de journée. Cela oblige non seulement à lever son derrière du lit, mais encore à le lever du sol.)

Cet exercice présente l'avantage de faire travailler les muscles du bas du dos. Collez les talons, pliez légèrement les genoux tout en les écartant. En appuyant les épaules au sol, relevez le bassin et portez-le le plus haut possible. Répétez l'exercice 25 fois.

Évitez les *tours de rein*; tentez graduellement d'atteindre l'objectif fixé. Nul ne peut parvenir à la perfection au premier essai.

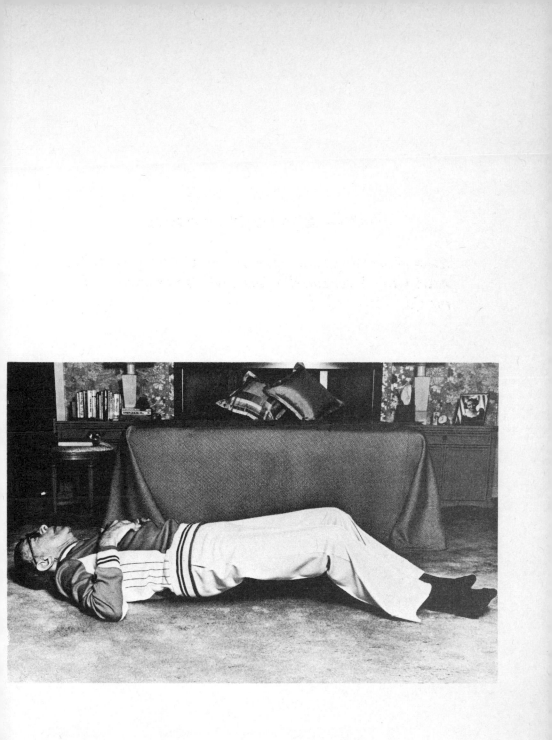

No.2 — *Élévation du genou*

Cet exercice favorise le travail des muscles des cuisses et des hanches. Nouez les mains ensemble et tenez fermement la jambe droite sous le genoux. Ramenez ainsi la cuisse sur la poitrine en tirant fermement. Essayez de toucher le menton avec le genou. Reprenez l'exercice avec la jambe gauche (à moins d'être unijambiste). Répétez l'exercice 20 fois au total (10 fois par jambe).

No.3 — *Le pédalier*

Joignez les mains sur la poitrine. Levez les cuisses à la verticale et placez vos pieds sur des pédales imaginaires. Donnez 100 bons coups de pédale.

Si vous avez le bonheur de posséder une bicyclette, enfourchez-la ou passez à l'exercice suivant.

No.4 — Redressement du tronc

(Notez que je ne suis plus seul sur la photo. Afin de ne pas laisser l'intérêt faiblir, le vôtre autant que le mien, il m'a paru nécessaire de demander un peu de collaboration.)

Il y a de nombreuses versions de l'exercice que je présente ici. En sentimental que je suis, je vous recommande le bon vieux redressement qui consiste, en partant de la position allongée, à joindre les mains derrière la tête, à garder les jambes droites et à ramener le tronc en position verticale. Une fois en position assise, poussez le tronc vers l'avant deux ou trois fois avant de retourner en position couchée. Répétez l'exercice 15 fois.

Il ne s'agit nullement d'un exercice facile, j'en conviens. Pourtant, il en vaut la peine. Qu'il suffise de bien regarder la silhouette de ma compagne...

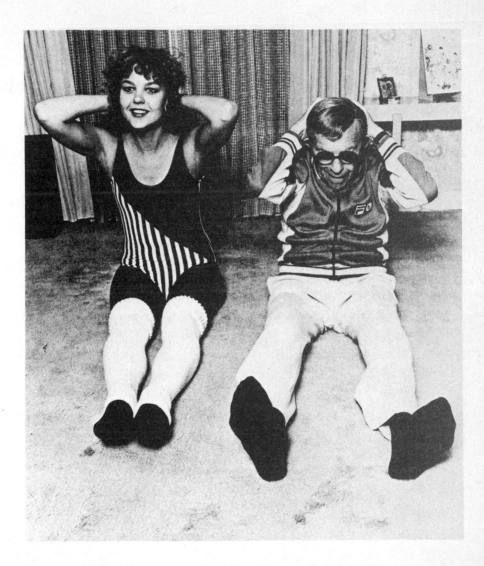

No.5 — *La pirouette avortée*

Couchez-vous sur le sol, les mains le long du corps.
Relevez les jambes, en les gardant bien droites et en
essayant de toucher le sol de la pointe des pieds.
Répétez l'exerice 10 fois.

Je dois bien admettre qu'il m'est impossible de
rejoindre le sol de la pointe des pieds. L'important,
c'est d'aller aussi loin que possible (en ce qui
concerne l'exercice, bien entendu).

No.6 — La position du lotus

(Ne pas confondre avec la position classique du yoga. De toute façon, cela n'a aucune importance à mes yeux. Vous noterez que j'ai changé de compagne. Ah, ce que c'est que la forme!)

Au sol, en position assise, écartez les genoux en tenant les pieds joints. Tenez fermement les orteils et abaissez le tronc le plus possible vers l'avant. Revenez à la position de départ. Répétez l'exercice 25 fois.

C'est un exercice que j'affectionne tout particulièrement. j'ai l'impression de faire des courbettes.

No.7 — Extension du cou

(Le nom que j'ai choisi pour cet exercice manque d'originalité, direz-vous. Cela m'importe peu. Je le fais parce que j'avais l'habitude, tous les matins, de m'étirer en tous sens avant de me lever. Notez aussi que j'ai perdu ma compagne. Vous comprendrez que l'extension du cou étant un exercice qui se fait sur le lit, je n'ai pas voulu ternir la réputation d'une jolie demoiselle.)

Asseyez-vous sur le bord du lit. Tournez la tête à droite aussi loin que possible. Tournez ensuite à gauche. Répétez l'exercice 5 fois. Amenez la tête le plus possible vers l'arrière, puis ramenez-la vers l'avant, au point de toucher la poitrine avec le menton. Répétez l'exercice 5 fois.

Faites ensuite des rotations de la tête: dessinez cinq fois un cercle en regardant le plafond, dans un sens, puis faites-en autant dans l'autre sens.

L'ensemble de ces exercices assure la souplesse de vos muscles du cou et permet de corriger le double menton. Sur ce point, je ne puis être totalement affirmatif puisque je n'ai jamais eu de double menton. Allez savoir pourquoi.

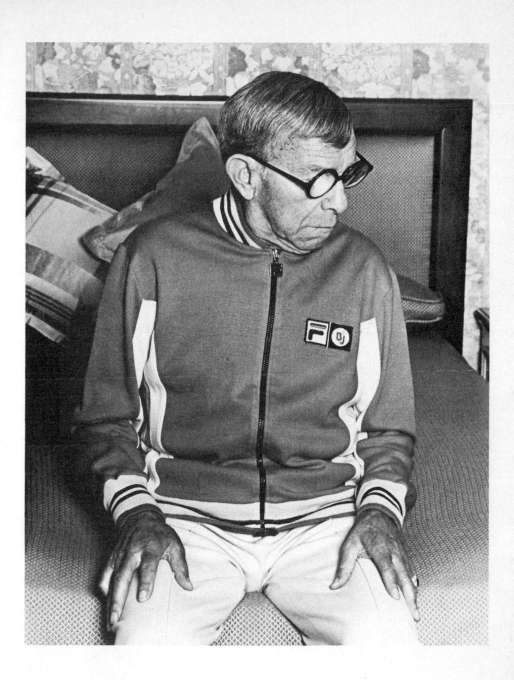

No.8 — Flexion avant du tronc

(Cet exercice est vieux comme le monde. Il me plaît bien. Au fond, j'aime tout ce qui est plus vieux que moi. Vous pourrez remarquer que j'aime aussi ce qui est plus jeune.)

En position debout, levez les bras au-dessus de la tête. Sans plier les genoux, pliez le tronc et essayez de toucher le sol avec le bout des doigts. Répétez l'exercice 15 fois. Ne vous attendez pas à réussir parfaitement au premier essai. Avec le temps, vous gagnerez en souplesse. De toute façon, M. Culture Physique n'en saura rien.

No.9 — *Flexions latérales du tronc*

En position debout, les jambes droites, le bassin redressé et les mains sur les hanches, fléchissez le tronc aussi loin que possible vers la droite. Ramenez le tronc puis reprenez ensuite vers la gauche. Répétez l'exercice 40 fois. Les flexions à droite et à gauche ne comptent que comme un seul exercice. Si vous les comptez séparément, alors répétez l'exercice 80 fois.

Ceux qui n'aiment pas cet exercice peuvent le remplacer par la *pirouette avortée*.

45

No.10 — Grande finale

(Parfois appelé «dernier exercice».)

En position debout, les pieds légèrement écartés, faites pivoter le tronc vers la droite, puis vers la gauche. Répétez l'exercice 40 fois.

Pour compléter l'ensemble des dix exercices, il me faut tout au plus trente minutes. Il y a certains jours où j'y passe plus d'une heure, quand un ami interrompt par exemple mes exercices en me téléphonant de Vancouver.

Il ne s'agit pas là d'un exercice mais je trouve que cela m'apporte autant de satisfaction, sinon plus...

Les soucis, le stress et l'hypertension;
trois ennemis à ne pas amener
dans son lit.

Si vous me demandez ce qui devrait être la préoccu-
pation majeure de toute personne qui veut atteindre
un âge avancé, je répondrai qu'il lui faudra éviter
autant que faire se peut les soucis, le stress et l'hypertension. Et si vous ne l'aviez pas demandé, je vous en
aurais parlé quand même.

Je sais que j'ai déjà écrit, précédemment, que
l'exercice était l'ultime secret de la longévité. Cela
faisait une bien jolie entrée en matière pour débuter
un chapitre portant sur l'exercice physique. Quand
nous aborderons la question du sexe, un peu plus
loin dans ce livre, je prétendrai encore une fois que
c'est là le secret essentiel de la longévité. Vous ne
m'en tiendrez pas rigueur cependant en sachant que
ces non-sens volontaires font partie de mon style.
Après tout, Hemingway lui-même avait ses défauts,
n'est-ce pas?

Voyons maintenant si je sais de quoi je parle.
Quelle est la différence entre les soucis, le stress et
l'hypertension? Pour être franc, je l'ignore. Pourtant,
il y a sûrement une différence, bien qu'elle soit difficile à préciser. Les soucis amènent le stress, et le stress

provoque, lui, l'hypertension. Il est donc impossible d'avoir des soucis sans connaître le stress, puis l'hypertension. Cela me rappelle une chanson, que j'ai chantée au *Colonial Theatre* de Shenectady et qui s'intitulait: *Worry, Stress & Tension.* Il est donc indéniable que l'un ne va pas sans les autres.

Voyons d'abord ce qui, de nos jours, donne des soucis aux gens. En général, on craint que le monde n'éclate en un conflit universel, on craint le crime toujours présent à chaque coin de rue, on craint la surpopulation, les cheveux blancs, les rides, les problèmes de la circulation, les contraventions, le mariage, le divorce, les invités qui s'enracinent, les factures, l'inflation, les soucoupes volantes et les petits hommes verts, le sel, le sucre, le chlore que les municipalités ajoutent à l'eau potable pour la «purifier», etc. La liste pourrait facilement devenir interminable, si l'on ajoutait par exemple la dépression, le chômage, les requins... et mille autres choses enfin, mais en voilà assez.

Je ne prétendrai pas qu'il n'y ait aucune raison de s'en faire en ce bas monde. Mais il faut reconnaître qu'avant que ne fleurisse le métier de journaliste et les publications quotidiennes, les gens se faisaient beaucoup moins de soucis. Par l'entremise de la radio et de la télévision, les grands problèmes du monde actuel ont pris place dans nos salons. Dès le milieu de l'après-midi, les bulletins de nouvelles se multiplient et jusqu'après le repas du soir, on n'entend plus parler que de guerre, de terrorisme, de désastres, de meurtres, d'accidents, etc. Il est rare que les nouvelles soient «bonnes», qu'on parle de ce qui est bien et encourageant. Au bout du compte, on finit par reprendre le dessus quand, en fin de soirée, on recommence avec le bulletin de 22:30 h. Il n'y a rien de mieux pour garantir un sommeil passablement agité.

Je ne sais ce que vous en pensez, mais je ne prétends pas pouvoir changer le monde. Ce que je peux faire cependant, c'est de changer de poste. C'est justement ce que j'ai fait hier. Le résultat? Je suis tombé en plein film d'horreur. Au bout de quelques minutes, je suis revenu au bulletin de nouvelles dont j'ai attentivement gobé les trente minutes sans broncher, puis je me suis couché. Cette nuit-là fut aussi tranquille que les précédentes et, comme à mon habitude, j'ai dormi comme un bébé.

Revenons aux choses sérieuses. Les soucis, le stress et l'hypertension sont non seulement désagréables, mais peuvent aussi réduire l'espérance de vie d'un individu. Lorsqu'il tendu, l'organisme libère des produits chimiques toxiques qui éprouvent l'équilibre vital du corps, réduit la résistance physique et amène une augmentation soudaine de la tension artérielle. Tout le monde sait enfin que la tension artérielle est la principale cause des commotions cérébrales et des crises cardiaques.

Cela suffit pour la partie sérieuse. Retrouvons notre sens de l'humour et libérons-nous de l'hypertension qui commence assurément à s'accumuler à la lecture de ces lignes. Tournez la page et n'y pensez plus.

(De quoi changer l'idée de ces messieurs. Quant à ces dames, elles ont la page suivante pour elles.)

Revenons une nouvelle fois aux soucis, au stress et à l'hypertension. Il en existe de nombreuses variétés. Il y a des gens qui ne s'inquiètent que de ce qui est énorme et d'autres qui s'en font pour des petits riens. Cela s'explique du fait que pour certains, les grands problèmes ne représentent rien, et pour d'autres, les petits problèmes deviennent des montagnes. Nous reviendrons sur cette subtile remarque lorsque nous aborderons la question de la vie sexuelle.

Jack Benny est sans contredit le meilleur ami que j'aie jamais eu. Il était gentil, aimable, beau... En fait, je l'aimais bien. Mais Jack était l'une de ces personnes pour qui le moindre souci est un problème majeur. Curieusement, il ne s'inquiétait jamais des problèmes graves. Ainsi un jour, alors que nous passions quelques heures ensemble au club dont nous étions tous deux membres, j'appris que Jack venait de signer une entente de plus de trois millions de dollars. Jolie somme! Je m'apprêtais à le féliciter chaleureusement quand je remarquai son air déprimé.

Je lui demandai donc: «Y a-t-il quelque chose qui ne va pas, Jack?»

Il répondit simplement: «Mon café est froid.»

«C'est pour cela que tu fais une telle tête?»

«Je suis incapable d'avaler une tasse de café froid», répondit-il sèchement.

«Mais j'apprends que tu viens de signer un faramineux contrat de trois millions de dollars...»

«Ce n'est pas ce qui réchauffera mon café», dit-il encore plus sèchement.

C'était le mardi. Le jeudi suivant, les cotes d'écoute des différentes chaînes de télévision firent les manchettes des journaux et des bulletins télévisés. Le programme que Jack animait venait de baisser de six points. Il faut savoir que dans notre métier, une baisse de popularité d'un seul point signifie souvent une catastrophe. Avec un tel pointage, Jack pouvait raisonnablement songer au suicide.

Je l'ai rencontré ce même jour, attablé pour le repas du soir au restaurant du club. Je craignais quelque peu de lui faire face mais me fis violence, pensant que c'est dans les moments les plus durs que les amis sont utiles et nécessaires. Sitôt assis à ses côtés, je me suis rendu compte de ma méprise. Au lieu de friser le découragement et la dépression, Jack était de fort bonne humeur. Vous aurez bien sûr deviné que son café était tel qu'il l'aimait, c'est-à-dire chaud.

Jack était un homme d'une trempe particulière. Il tenait la scène au Palace de New York sept ou huit fois l'an, donnait plusieurs spectacles au Palladium de Londres, et dans nombre de théâtres et de clubs de nuit. Une fois sur scène, Jack était le plus confiant des hommes. Il était d'un calme déroutant, sûr de lui. Néanmoins, quand il recevait chez lui, il était d'une indicible nervosité. Cela signifie au fond que Jack n'était nerveux qu'une fois par décade environ. Non, c'est faux. Jack et Mary donnaient plusieurs réceptions par année, qui faisaient chaque fois un succès monstre. Pourtant, Jack craignait toujours que ses invités s'ennuient.

Je me souviens en particulier d'une réception à laquelle participaient au moins 150 invités. Tout le monde s'amusait ferme. Les blagues et l'alcool faisaient bon ménage. Seul Jack broyait du noir. Il me prit à part et me dit: «George, mes invités s'ennuient. Il ne se passe rien.»

Je lui ai alors répondu: «Regarde bien et tu verras combien les gens s'amusent.»

«Ne me raconte pas d'histoires», dit-il. «Je ne suis pas né de la dernière pluie. N'importe quel artiste qui se respecte reconnaîtra que l'action est ici au point zéro. On s'ennuie à mourir.»

À bout d'arguments, je lui dis: «Jack, si tu tiens à ce que l'action revienne, il y a une solution. Monte à ta chambre, retire tes pantalons, coiffe-toi d'un des chapeaux de Mary et redescend en jouant du violon.»

«Formidable!», fit-il d'un souffle. Et avant que j'aie pu réagir, il grimpa les escaliers quatre à quatre.

Je me suis alors tourné vers la foule des invités et ai annoncé, après avoir demandé le silence: «Mesdames, mesdemoiselles et messieurs, notre hôte, Jack Benny, comédien de métier, vedette du petit et du grand écran, vient de monter à sa chambre. Il en redescendra dans quelques minutes sans pantalon, coiffé d'un des chapeaux de son épouse et jouant du violon. Ayez la gentillesse de l'ignorer.»

Il fut fait tel que demandé. Jack descendit en faisant le pitre mais personne ne porta attention à lui. Il a fini par se rendre compte que j'avais vendu la mèche. Cela suffit à le faire se tordre de rire. Tous les invités en firent autant. La réception était sauvée et Jack retrouva sa bonne humeur, jusqu'à la fois suivante.

C'était bien lui. Il se fichait des cotes d'écoute ou de la signature d'un contrat de trois millions, mais s'inquiétait mortellement quand il ne pouvait trouver de serviette assez douce et moelleuse au sortir de la douche.

J'ai toujours eu beaucoup de chance. Je fais partie de ceux qui ne s'en font pas pour des petits riens. La douceur des serviettes ou la température du café ne m'empêchent pas de dormir. Il me fallut de nombreuses années pour découvrir ce qu'étaient les soucis, le stress et l'hypertension. J'avoue qu'à une certaine période de ma vie, j'en ignorais même l'existence. Il est vrai que j'ai quitté l'école avant la cinquième année. Pour tout dire, j'ai passé tant d'années en quatrième que je fus finalement assez vieux pour faire la cour à l'institutrice, mademoiselle Hollander.

Je suis né dans une famille pauvre. Nous étions douze enfants, dont sept filles et cinq garçons. Nous ne possédions rien. Ceux qui n'ont rien, n'ont rien à perdre, cela est évident. Et quand on n'a rien à perdre, on n'a aucun souci à se faire. Dans tout le quartier, les conditions de vie étaient semblables. Personne n'avait le moindre souci puisque tous nos voisins étaient aussi pauvres que nous.

C'est à l'âge de 7 ans que j'ai décidé de me lancer dans le monde du spectacle. Avec trois de mes amis, j'ai fondé le *Peewee Quartet*. Ma mère m'a dit: «Ce n'est pas sérieux. Tu gagnes 85 cents par semaine en livrant des journaux, en cirant des chaussures, etc. et tu veux tout laisser tomber pour devenir comédien?»

Je lui ai répondu: «Tu sais maman combien j'aime chanter. La chanson, c'est quelque chose qui est au fin fond de moi-même. Il faut que ça sorte.»

Elle ne s'est pas laissée convaincre: «Chanter ici pour tes frères et tes soeurs est une chose. Chanter devant un public en est une autre. Au premier essai, les gens de l'auditoire te feront ravaler ta chanson.»

À l'époque, j'ai trouvé cela drôle. Il faut dire que ma mère avait toujours le mot pour rire.

En fin de compte, j'ai choisi le monde du spectacle et ne l'ai plus quitté. Ma mère avait cependant raison. Pendant près de vingt ans, les gens de l'auditoire me faisaient ravaler mes chansons. C'était l'époque du vaudeville. Il y avait plusieurs salles populaires; les plus célèbres étant: The B.F. Keith Circuit, The Orpheum, The Moss & Brill, The Loew's, The Pantages, The Gus Sun, etc. Du moment qu'on parvenait à mettre les pieds sur la scène de l'une d'elles, le succès était assuré. Cela signifiait aussi que les ennuis commençaient car si les gens ne riaient pas au bon moment, ne pleuraient pas quand il le fallait, n'applaudissaient pas en fin de spectacle, on risquait le renvoi. Tout le monde était donc nerveux: Al Jolson; Eddie Cantor; Clayton, Jackson and Durante; Jack Benny; Milton Berle; Sophie Tucker; Smith and Dale; Eva Tanguay; Belle Baker; Block and Sully; the Marx Bros.; the Gliding O'Mearas; Madam Buckhart and her Cockatoos; Power's Elephants; Swain's Cats and Rats — tous étaient terriblement nerveux. Au point même qu'ils en perdaient souvent le sommeil. Pas moi cependant. Je n'ai jamais connu l'insomnie. Je n'avais d'ailleurs aucune raison de me faire du mauvais sang puisque je n'ai jamais réussi à jouer dans des endroits aussi bien cotés.

En réalité, je travaillais dans des salles dont les patrons étaient si peu fortunés que s'ils m'avaient mis à la porte, ils m'auraient rendu service. Maintenant, parlons un peu de moi. À 18 ans, alors que je travaillais seul, je tenais l'affiche au *Myrtle Theater* de Brooklyn. Le spectacle devait commencer vers 01:00 h mais les répétitions débutaient dès 22:00 h. Le premier soir, le gérant m'entendit répéter... et me congédia sur le champ. Je suis sans doute le seul comédien qui ait été congédié avant même de donner son premier spectacle. Avec le temps, je devins tellement habitué aux congédiements que je demandais des cachets toujours plus élevés. Si l'on sait perdre assurément sa place, pourquoi ne pas perdre une place qui en valait la peine?

J'ai heureusement fini par tenir l'affiche de salles reconnues. Là encore je n'avais pas à m'en faire, puisque j'étais alors convaincu, les faits aidant, que j'avais du talent, un talent auquel je fus marié pendant trente-huit ans.

C'est en 1932 que j'ai connu Gracie. Nous tenions la vedette du même spectacle. C'était nouveau pour moi, qui n'avais jamais travaillé en duo, mais je ne m'en fis pas outre mesure. Nous nous maintenions de toute façon parmi les dix meilleurs spectacles de la ville. Remarquez que cela allait de soi, puisqu'il n'y avait que huit salles ouvertes à cette époque! Puis il fallut faire la transition entre les planches et le petit écran. C'est là que j'ai connu pour la première fois une certaine nervosité. Cela m'a vite passé, avec un peu de réflexion. Je n'avais vraiment aucune raison de m'en faire. Au début, j'avais appris à parler à une audience. Puis j'avais dû m'habituer au microphone. Cette fois, c'est avec la caméra qu'il fallait dialoguer. J'ai finalement conclu que si l'on ne pouvait plus parler sans se faire un souci monstre, c'était assurément la catastrophe.

Ce que l'expérience m'a appris, c'est que lorsque quelque chose est hors de votre contrôle — si vous ne pouvez rien faire quoi qu'il arrive — vous n'avez aucune raison valable de vous en faire. Et s'il vous est possible d'agir et de faire quelque chose, il n'y a encore aucun motif valable pour vous faire du souci. C'est ce que je me dis quand l'avion qui m'emporte traverse des zones de turbulence. Ce n'est pas moi qui tiens les commandes; je n'ai donc pas à m'en faire. Après tout, le pilote est grassement payé pour se débrouiller seul. Pourtant, je ne suis jamais monté à bord de l'un de ces petits avions privés que pilotent ceux qui en sont propriétaires. C'est néanmoins pour une autre raison: je ne voudrais pas *tomber* dans l'anonymat.

Je peux même prétendre, en toute sincérité, que mes problèmes cardiaques d'il y a quelques années ne m'ont jamais causé le moindre souci. (Il a fallu me faire quelques pontages.) Je ne veux pas minimiser la gravité de l'opération — il est en effet moins risqué de se faire couper les cheveux ou les ongles — mais que pouvais-je y faire? La décision concernant l'opération incombait à mon médecin, pas à moi.

Lorsque je me suis réveillé, plusieurs heures après l'opération, mon chirurgien se tenait à mon chevet. «George, tu as été formidable», me dit-il.

«Je n'ai rien fait», lui répondis-je. Je me sentais d'ailleurs si peu concerné que je n'avais aucun mérite.

«J'ai été passablement nerveux tout au long de l'opération» avoua-t-il pour sa part.

Ce n'était pas encore suffisant pour me créer le moindre souci. Et l'épisode se termina par une bonne poignée de main.

La table — Le deuxième passe-temps le plus populaire.

Mon éditeur a beaucoup insisté pour que j'inclue un chapitre sur la diète des centenaires. «Les livres de diététique sont particulièrement bons vendeurs», avait-elle affirmé. Quant à moi, il m'aurait plu de parler d'autre chose, qui me tient bien à coeur, d'un passe-temps auquel s'adonne avec brio ma soeur Goldie et ce, malgré son âge. Mais j'y reviendrai...

Pour l'instant, abordons la question des diètes. Il me paraît nécessaire de préciser que je connais très peu le sujet. Il est sans doute délicat de jouer ainsi franc jeu et pourtant, pour être sincère, il me faudrait même affirmer ne rien y connaître du tout. Mais si cela peut mousser les ventes de ce livre, eh bien! je ne laisserai pas mon ignorance entraver le succès de l'entreprise. Nous parlerons donc des diètes.

Je ne connais pas un seul Américain qui ne soit pas à la diète. La diététique est devenu le plus populaire des sports, loin devant le baseball car elle se pratique douze mois par année. Il y a d'une part les diètes riches en protéines et faibles en matières grasses, puis les diètes riches en matières grasses et faibles en protéines; les diètes à faible teneur en hydrates de carbone, à taux moyen de matières grasses et à haute teneur en protéines; les diètes à haute teneur en hydrates de carbone, à taux moyen de matières grasses et à faible teneur en protéines. Et si cela ne vous suffit pas, nous ajouterons les diètes protéiniques, les diètes aux hydrates de carbone, les diètes à l'eau, le jeûne et même les diètes dans lesquelles tout est permis. Cette dernière catégorie convient aux obèses qui veulent demeurer obèses.

Certaines diètes, on le devine, sont meilleures que d'autres. C'est en fréquentant des gens qui ont des problèmes de poids que l'on apprend à mieux distinguer entre les différents types de diètes. Il y a des cures réputées qui portent le nom de ceux qui les ont mises au point, qui les ont popularisées, qui les ont expérimentées... et qui en sont morts. La plus populaire de toutes les cures en vogue reste la diète du buveur invétéré. Ce qui est le plus drôle dans ce cas-ci, c'est que la plupart des gens qui la suivent ignorent tout de ce qu'elle est. Il ne se savent même pas à la diète!

En fait, j'ignore moi aussi les règles de la diète du buveur invétéré. L'autorité en la matière reste ce cher Dean Martin. Il est vrai qu'il a encore l'enviable réputation d'être le plus grand buveur de tout le *show business* américain. J'avoue qu'il m'arrive parfois de boire quelque peu. Il m'est même déjà arrivé de boire en compagnie de Dean Martin ou encore de passer quelques heures au bar aux côtés de Phil Harris. Je ne veux pas m'imposer comme juge quant à savoir lequel des deux boit le plus car ni l'un ni l'autre ne me pardonneraient de leur donner la seconde place... à la condition bien sûr qu'ils parviennent à se souvenir de moi.

Cela me rappelle une histoire. Elle n'est pas tout à fait originale et il est possible que vous l'ayez déjà entendue, peu importe. On met cette histoire sur le compte de Monsieur et Madame Phillis. Joe, le frère de madame Phillis, vivait depuis sept ans avec le couple. Les Phillis commençaient à en avoir assez de le voir tous les matins au petit déjeuner. Monsieur Phillis proposa donc à son épouse: «Ce soir, au dîner, je prétendrai que la soupe est chaude et tu diras le contraire. Si Joe est d'accord avec moi, tu le mettras dehors. S'il est d'accord avec toi, c'est moi qui le mettrai dehors.» Elle accepta.

Dès que la soupe fut servie, la dispute s'engagea. Au bout d'une minute, les Phillis demandèrent l'avis de Joe: «La soupe est-elle chaude ou froide?»

«Je ne répondrai pas, dit-il, et je resterai sept ans de plus.»

C'est un peu comme ça que j'expliquerai le statu quo en ce qui concerne Dean Martin et Phil Harris. D'après moi, ils peuvent partager la première place ex equo.

À ce point du chapitre, il me fait plaisir de constater que pour quelqu'un qui avoue ne rien connaître à la diététique, je me débrouille pas mal puisque j'en suis à la troisième page!

Revenons à nos moutons. Tout le monde parle de surpopulation et craint que d'ici peu, la terre ne puisse plus nourrir l'humanité entière. Ce dont il s'agit pourtant, c'est de suralimentation et non de surpopulation. Si tous les Américains acceptaient de perdre cinq kilos dans les trois semaines qui viennent, les États-Unis pourraient dès lors facilement compter un état de plus.

Les spécialistes ne manquent pas de théories pour expliquer pourquoi les gens se suralimentent. Plusieurs prétendent que les excès de nourriture sont un exutoire à l'insatisfaction sexuelle. Pourtant, Elizabeth Taylor a un appétit de lion, ce qui contredit cette première théorie.

Dans mon cas, la suralimentation n'a jamais été un problème. Je rappelle que j'ai eu sept sœurs et quatre frères et que chez nous, jamais personne n'a prononcé le mot *diète*. (Il faut en plus ajouter au décompte nos parents, au nombre de deux.) Nous avions moins que rien, tellement peu en fait qu'il était impossible de raisonnablement réduire les rations aux repas. Ce qui ne m'empêche pas de prétendre que le ragoût de ma mère était le meilleur au monde. Il y avait toujours un plein chaudron de ragoût qui mijotait sur le poêle. Chaque fois qu'un enfant arrivait, il y mettait ce qu'il avait réussi à trouver. Le menu variait ainsi sensiblement d'un jour à l'autre: le ragoût était enrichi de pain, de bananes, d'ail, d'oignon, de fèves, de têtes de poisson, de fromage, d'os à moelle, d'un cou de poule, etc. Quand un invité s'annonçait, maman ajoutait quelques quignons de pain au ragoût. Nous avions tellement l'habitude d'ajouter au gré de notre fantaisie toutes sortes de choses dans le chaudron que le jour où oncle Frank ne vint pas dîner, nous eûmes presque la tentation de le rechercher dans le chaudron.

C'est ainsi que je fus nourri dans ma prime jeunesse. À l'âge de 14 ans, je partageais la vedette d'un petit spectacle que nous avions monté, un ami et moi, sous le nom de «Brown & Williams». Nous nous produisions à Albany et avions mangé au restaurant. Ce fut mon premier vrai repas complet. J'ai commencé par avaler une soupe aux légumes, suivie d'un steak accompagné de pommes de terre, de quelques tranches de tomate, puis d'une pointe de tarte aux pommes comme dessert, avec un café. Il me fallut deux jours pour m'en remettre. À la réflexion, je crois bien que j'aurais accepté d'être plus souvent malade, mais il fallait d'abord et avant tout songer au spectacle car nous avions un engagement.

À cette époque, Brown et moi ne collectionnions pas spécialement les engagements. C'est pourquoi la question des repas devenait un problème sérieux. Pas pour moi en fait, mais pour mon compagnon. J'avais un bon moyen pour me tirer d'affaire. En prenant place à une table de restaurant, alors que le serveur apportait le menu, la traditionnelle corbeille de pain et les carrés de beurre, je disais: «J'attends un ami; revenez.» Je mangeais alors les petits pains, assez lentement pour ne pas attirer les soupçons, puis m'excusais: «Mon ami n'est pas venu. Au revoir.»

La troisième fois que j'ai tenté le coup au même restaurant, le serveur a apporté un panier vide. «Où est le pain?», ai-je alors demandé. Et l'homme de répondre: «Votre ami est venu avant vous.»

J'avais heureusement plus d'un tour dans mon sac. En voici un qu'il fallait cependant prendre garde de ne pas répéter dans le même restaurant. Je m'asseyais, par exemple, tout près d'un monsieur bien mis. Après avoir mangé à satiété, je racontais poliment mon boniment à mon voisin de table: je disais être un ami de la caissière, que je voulais épater en montrant que je connaissais des gens bien: «Lorsque je réglerai la facture, disais-je, je vous enverrai la main. Faites-en autant et la demoiselle sera éblouie.»

Personne ne me refusait une telle faveur. Une fois venu le moment de payer, je disais à la caissière: «Ce monsieur là-bas vous réglera ma facture.»

Quand on me demandait: «Qui?», il me suffisait de faire un signe de la main pour obtenir une réponse du bon Samaritain. Là-dessus, je prenais la poudre d'escampette.

Un jour pourtant, je finis par être à bout d'imagination. C'est alors que je fis la connaissance de Gracie, ce qui mit du même coup fin à mes ennuis. Cependant, toutes ces années de finesse par lesquelles je gagnais (ou volais, au choix) mes repas, ont laissé leur marque. Aujourd'hui encore, mon estomac n'est pas toujours d'accord avec mes goûts et mes envies.

Mais la nourriture compte peu pour moi. Je ne mange jamais, par exemple, de steak ou de côtelettes. Ce n'est pas que je n'y prendrais pas plaisir, mais je trouve qu'il est bien difficile de mastiquer de la viande. Je me demande parfois si l'on ne devrait pas être payé pour manger de la viande, au lieu de devoir payer pour l'obtenir, tant cela représente un travail ardu de mastication.

Je n'aime pas par ailleurs la viande saignante.

Trêve de bavardage, nous avons assez attendu. Voici donc la diète sept-jours de George Burns.

Lundi

(Comme tout bon travailleur, je commence la se-
maine le lundi, le dimanche étant en fait un jour de
repos.)

Déjeuner
    4 prunes avec du lait écrémé
    2 tasses de café noir

Lorsqu'une fin de semaine s'annonce particulièrement chargée, il m'arrive de me satisfaire de trois
prunes. Ah! J'oublie de préciser que le lait sert à
arroser les prunes.

Dîner
    1 bol de soupe
    1 tranche de pain
    1 tasse de café noir

Le dîner est un repas qui peut varier à l'extrême.
Prenez du pain blanc, du pain croûté, du pain de blé
entier ou de son, une brioche ou une tranche de
gâteau aux fruits. De la même façon, ne vous obligez
pas à prendre un bol de soupe et une tasse de café si
vous préférez *une tasse* de soupe et *un bol* de café.
Faites au mieux. Je rappelle qu'il s'agit d'une diète on
ne peut plus flexible.

Le déjeuner du lundi matin.

Souper
    1 bol de soupe
    Salade verte
    Poulet rôti
    Riz
    Pois verts
    1 tranche de pain beurré
    1 tasse de café noir
    Biscuits

C'est le plus gros repas de la journée. Si j'ai encore faim, j'ajoute la prune qui restait du déjeuner. Quant aux biscuits, il est nécessaire qu'ils soient fermes et croquants... parce que rien ne ressemble plus à des applaudissements que le *crac* sonore des biscuits secs.

Mardi

Déjeuner
> 1 petit verre de jus d'orange
> 1 bol de céréales de son avec du lait
> 2 tasses de café noir

J'aime bien laisser le temps aux céréales d'absorber le lait dont je les arrose. Elles s'amollissent ainsi et deviennent plus faciles à avaler. Le bruit des applaudissements me convient le soir, mais me paraît détestable le matin.

Dîner
> 1 bol de saumon en boîte
>   arrosé de vinaigre ou de citron
> 1 muffin anglais grillé
> 1 tasse de café noir

Les muffins anglais sont généralement coupés en deux. Je recoupe chacune des moitiés afin d'obtenir quatre tranches. C'est un bon moyen pour ne manger qu'un demi-muffin, tout en avalant quand même *deux* tranches. C'est pourquoi je deviens méchant lorsqu'il m'arrive d'avoir, de temps à autre, des muffins qui sont coupés dans le mauvais sens. Dans ces cas-là, je les remplace par du gâteau aux fruits.

Souper

    1 bol de soupe
    Salade verte
    Poisson au grill
    Deux légumes
    1 tranche de pain beurré
    1 tasse de café noir
    Crème glacée

Lorsque je mange du poisson à chair blanche, je l'accompagne de légumes verts. Voilà deux couleurs qui vont bien ensemble. S'il s'agit plutôt de saumon rose ou de poisson à chair colorée, je remplace les légumes verts par des haricots jaunes. Bien que je déteste les haricots jaunes, il m'est plus facile de me forcer à les manger que d'avaler des aliments dont les couleurs jurent.

Mercredi

Déjeuner

    1 petit verre de jus d'orange
    1 croissant avec de la confiture
    1 tasse de café noir

Arlette, la cuisinière, est une femme gentille et attrayante. Elle ne me sert que du jus d'orange fraîchement pressé... comme elle d'ailleurs puisque je lui pousse toujours dans le dos. Cela nous permet de commencer tous deux agréablement la journée. Je n'ai pas de préférence marquée pour les croissants. Je me force un peu à la manger en mémoire de Maurice Chevalier pour qui j'ai toujours eu une haute estime.

Dîner

    2 oeufs à la coque (au goût)
    1 toast
    1 bol de thé au citron

L'oeuf est sans doute le plus facile à apprêter de tous les aliments. On peut servir les oeufs pochés, frits, en omelette, à la coque — au goût — trop cuits ou pas assez, etc. Ceci dit, je doute que les poules sachent à quel point leurs oeufs nous sont utiles.

Souper
    Cocktail de crevettes
    Salade verte
    Carottes
    1 pomme de terre au four
    Viande de boeuf
    1 tranche de pain beurré
    1 tasse de café noir
    Biscuits

J'ai écrit, il y a quelques pages de cela, que je ne mangeais jamais de viande parce que je déteste mastiquer. C'est vrai. Je triche néanmoins tous les mercredis; heureusement, Arlette coupe le boeuf en morceaux minuscules, ce qui me facilite la tâche.

Jeudi

Déjeuner
   (Si léger qu'il ne vaut pas la peine d'en parler.)

Dîner
   (Semblable au déjeuner.)

Souper
On comprendra que le repas du jeudi soir soit le plus gros repas de la semaine. Je pourrais difficilement en donner le menu puisque le jeudi est jour de sortie. Ce soir-là, je mange au restaurant. Il faut dire aussi que je laisse le choix du menu à mon hôte. On n'est pas l'ami de Jack Benny pendant soixante ans sans que cela ne laisse de traces.

Vendredi

Déjeuner

    4 prunes avec du lait écrémé

    2 tasses de café noir

Je pourrais manger autre chose que des prunes pour déjeuner mais cela m'apporte une satisfaction particulière, celle de constater que les prunes ont plus de rides que moi. Pour la même raison, j'ai voulu remplacer les prunes par des raisins secs. Ride pour ride, c'était une bonne affaire. Mais le déjeuner était un peu trop léger car on ne peut aller loin avec quatre raisins dans l'estomac. Au fond, ce que je regrette le plus, c'est que les bananes n'aient pas de rides.

Dîner

    1 bol de soupe *alphabet*

    3 biscuits salés

    3 biscuits non salés

    1 bol de thé au citron

Vous me demanderez pourquoi je coupe ainsi en deux ma ration de biscuits. C'est parce que mon médecin me défend de prendre du sel. Je ne peux pas, toutefois, suivre ses conseils car j'ai un neveu qui gagne sa vie dans l'industrie salinière. La raison qui me pousse à choisir la soupe *alphabet* est tout aussi valable: pourquoi en effet, ne pas s'instruire tout en mangeant?

Souper
Je me satisfais des restes du repas de la veille, que j'ai pris soin de ramener (sans trop me faire voir).

Samedi

Déjeuner
  Omelette espagnole
  Croissants français
  Muffin anglais
  Café irlandais

Je reconnais qu'au premier coup d'oeil, le menu paraît fantaisiste. Rien d'étonnant à cela, puisqu'il l'est justement. Néanmoins, mon choix n'est pas le fruit du hasard; vous noterez que ce sont-là des nations alliées. Il est de mon devoir, je crois, d'éviter les complications diplomatiques. L'Italie, dites-vous? Catastrophe! J'ai oublié l'Italie! Eh bien, je mangerai mes croissants assaisonnés d'une sauce à la romaine.

Dîner
  Pain matzo, oeufs et oignons
  1 verre de thé glacé

Le matzo (ou matzoth) est un pain sans levain que les Juifs mangent lorsqu'ils célèbrent la Pâque. Le matzo accompagné d'oeufs et d'oignons me rappelle le groupe *Clayton, Jackson & Durante* que j'ai toujours sincèrement admiré. En fait, je les aime autant que je déteste le matzo accompagné d'oeufs et d'oignons.

Souper

Le repas du samedi soir est le plus léger de tous les repas de la semaine. Le samedi étant jour de sortie, ce soir-là, je mange au restaurant en compagnie de celui qui m'a invité le jeudi précédent. La différence tient essentiellement à ce que cette fois-ci, c'est moi qui paye.

Dimanche

Après une telle semaine, mon estomac mérite un certain repos. Le dimanche, je ne mange rien du tout. Il m'arrive de prendre un martini ou deux... ou trois... mais AUCUN aliment... ou quatre martini... (et pourquoi la semaine ne finirait-elle pas en beauté?) ou même cinq.

L'auteur avant la diète sept-jours. *L'auteur après la diète sept-jours.*

La joie du sexe après 80 ans, 90 ans, 100 ans... et après dîner.

Avant d'entrer dans le vif du sujet, je me crois obligé d'apporter une précision: il faut savoir que je ne prétends nullement être une autorité en matière de sexe. Je suis plutôt, disons, un *amateur*. Le sexe est une chose qui me plaît pour ce qu'elle est et je crois qu'à ce titre, elle a sa place dans toute bonne famille. Bien sûr, il y a d'autres choses qui ont autant d'importance que le sexe; il y a... euh... par exemple... euh... en cherchant bien... Bon! Nous reviendrons plus tard sur le sujet!

Vous serez étonné par l'idée que le sexe puisse avoir quelque influence sur le fait que certaines gens vivent jusqu'à 100 ans et plus. Ce n'est pas surprenant. J'ai bien avoué ne pas être une autorité en la matière, mais j'ai quand même beaucoup lu sur le sujet. Il me semble donc admis que l'activité sexuelle libère l'être humain des tensions accumulées, de l'anxiété, des pressions sociales, corrige le bégaiement, fait disparaître les boutons et les points noirs, prévient la chute des cheveux (et que ne pourrait-on ajouter!), ce qui représente autant de bonnes raisons pour justifier l'intérêt des personnes de 90 ans, comme celui des centenaires pour les questions d'ordre sexuel. Neuf médecins sur dix vous diront que l'activité sexuelle est un facteur qui joue pour beaucoup dans l'espérance de vie des individus. C'est-à-dire que cela peut accroître le nombre des années qu'il vous reste à vivre, ou le réduire puisque l'activité sexuelle n'est pas, contrairement à ce que certains croient, sans danger. J'ai un ami qui, à quarante ans, s'en donnait à coeur joie, jusqu'à ce que le mari de sa maîtresse lui fasse cadeau de quelques grammes de plomb bien placés.

George Jessel, l'un de mes amis, avait un succès fou auprès des femmes. Les médailles qui garnissaient sa veste n'étaient pas toutes gagnées au mérite pour bonne conduite, loin de là. Ses tribulations amoureuses lui ont laissé la vie sauve, non sans le mettre cependant quelquefois dans de mauvais draps. Laissez-moi vous raconter l'une de ses aventures.

Cette fois-là, tout avait commencé à cause de Millie, une jeune fille adorable qui tenait la vedette dans *Shubert's Gaities*, en 1919. Elle était amoureuse folle de George et il le lui rendait bien. L'ennui, c'est que Millie était très jalouse. Chaque fois qu'elle surprenait son amant au lit avec une autre, elle lui cassait quelque chose sur la tête: un vase, un cendrier, un téléphone, etc. George n'aimait pas tellement cette façon de faire. Il s'en sortait immanquablement, chaque fois, avec une terrible migraine. Il engagea donc un jeune homme du nom de Leo Davis, dont le travail consistait à sauter dans le lit dès que la sonnette de la porte d'entrée retentissait. C'est George qui devait alors répondre à la porte. (Il faut dire qu'il craignait Millie.)

L'auteur en train d'écrire le présent chapitre.

L'entente fut ainsi conclue. Il ne se passa rien pendant les premiers jours. Enfin, la sonnette se fit entendre. Tel que prévu, Leo sauta dans le lit et George alla répondre. Il revint tout souriant: «Ce n'est pas Millie, dit-il, ce n'est qu'un télégramme.»

Et Millie de répondre: «Comment veux-tu que ce soit moi, puisque je suis dans ton lit avec Leo.» Vous pensez que George avait ainsi réussi à régler son problème? Pas du tout. Quand Millie et lui se sont séparés, le pauvre George mesurait près de cinq centimètres de moins.

De nos jours, le sexe est beaucoup plus admis qu'il ne l'était à mon époque, surtout chez les jeunes. Rien ne semble mettre un frein à leur curiosité, rien ne les intimide. On les entend dire le fond de leur pensée, écrire les mots les plus secrets, s'afficher ouvertement. De mon temps, chaque fois qu'il m'arrivait de dire un mot jugé grossier, ma mère me lavait la bouche au savon. C'est ainsi que j'ai passé ma jeunesse à faire des bulles.

Dans mon cas, cela s'explique puisque j'avais choisi un métier où la parole est reine. Au début, les filles qui m'intéressaient le plus étaient celles avec qui je pouvais partager mon travail, celles qui savaient faire rire. J'ai toujours aimé dire le fond de ma pensée, sans détours. Et vous savez que les personnes de mon genre répètent tout ce que les autres disent, sans discussion aucune.

Un jour donc, je fis la rencontre d'une jolie fille. Elle s'appelait Lily Delight. Je lui fis sans attendre une proposition non équivoque: «Pourquoi ne pas faire quelque chose ensemble?»

Elle fut immédiatement d'accord. Elle m'invita

chez elle, verrouilla la porte, baissa un peu l'abat-jour et dit: «On boit quelque chose?» J'ai donc répété: «On boit quelque chose?» Elle remplit deux verres que nous avons vidés d'un trait. Puis elle demanda: «Prendrais-tu un autre verre?» Fidèle à mon habitude, je répétai: «Prendrais-tu un autre verre?», ce qu'elle fit sans hésiter.

Ce petit jeu se répéta quatre fois. Au bout du compte, elle proposa: «Si nous passions dans la chambre?» Encore une fois je répétai: «Si nous passions dans la chambre?» Une fois dans sa chambre, sans perdre son sang froid, elle demanda: «Si on éteignait la lumière?» Je répétai en écho: «Si on éteignait la lumière?» Elle éteignit et j'en profitai... pour m'éclipser. Nous n'avons rien fait ensemble parce qu'elle n'avait pas su me faire rire.

Mon amour pour Gracie était lui aussi fondé sur le rire. Notre vie à deux fut merveilleuse. Ce n'est pourtant pas parce que j'étais un amoureux hors pair. Je ne me souviens pas, pour être sincère, avoir été applaudi par Gracie après l'avoir embrassée. Lorsque nous nous mettions au lit, je chantais une ou deux chansons, ce qui avait l'effet d'un soporifique. Après vingt ans de mariage, j'étais convaincu que la chanson était la meilleure solution pour qui veut endormir sa belle.

N'allez pas croire que je cherche à dénigrer le sexe et tout ce qui l'entoure. Ce n'est pas là mon intention. Je prétends même que l'activité sexuelle vaut cent fois mieux qu'une salade aux tomates non pelées.

Ce qui compte le plus pour moi à l'heure actuelle, c'est ma carrière. Il en a toujours été ainsi et je ne vois pas pourquoi les choses changeraient. Malgré tout le sérieux que j'y mets, j'essaie, dans la vie, de faire un peu de place au plaisir. Je prends du bon temps, je participe à des réunions mondaines, je fréquente des restaurants huppés et je m'arrange pour consacrer un peu de mon temps aux relations... humaines, si vous voyez ce que je veux dire.

Lors du tournage de mon dernier film, j'ai dû subir un examen médical pour des questions d'assurance. Le médecin qui m'examinait me demanda mon âge. «J'ai 86 ans», répondis-je. C'est alors qu'il me posa une seconde question: «Depuis quand avez-vous cessé votre vie sexuelle active?» J'ai répondu: «Depuis ce matin, vers trois heures environ.» J'ai bien sûr passé l'examen médical sans la moindre difficulté.

La plupart des gens croient que la vie sexuelle prend inévitablement fin à un âge déterminé. Au fur et à mesure que les années passent, on se sent obligé de mettre la pédale douce, ou pis encore, de renoncer. Il n'y a aucune raison pour qu'il en soit ainsi. Ce n'est pas une question d'âge. Le plus difficile, avouons-le, c'est de trouver la partenaire consentante. Les filles de 20 ans ont de légères préférences pour les hommes de moins de 80 ans.

Je suis l'honnêteté même. De cela, vous ne douterez pas le moins du monde. Quand je parle de moi, qu'il s'agisse de ma vie professionnelle ou de ma vie privée, je ne mens jamais. Ou du moins, quand il m'arrive de mentir, je préviens que ce que je dis n'est pas la vérité. (Ce qui est d'ailleurs faux, puisque je mens.) Bref, passons! Tous ceux qui m'écrivent ont la même idée en tête. Ils veulent savoir comment je parviens à mener une vie aussi active à mon âge. Pour donner un exemple précis, laissez-moi vous citer une lettre que j'ai reçue ce matin même, dans laquelle l'auteur écrit: «George, comment parvenez-vous à mener une vie aussi active à votre âge?» Ma réponse sera sans détour: «Je porte des gants.» Cela n'a rien à voir, mais une bonne question vaut bien une bonne réponse, n'est-ce pas?

Voici un extrait d'une autre lettre type:

> Cher George,
> J'ai un an de plus que vous et je viens d'épouser une jeune femme de 22 ans. Je crains de ne pouvoir la satisfaire. Toute suggestion serait la bienvenue.

J'ai répondu, par lettre: «Prenez un pensionnaire.» Trois mois plus tard, je reçois un coup de téléphone du monsieur en question. Le conseil avait été bon; son épouse était enceinte. Quand je lui demandai des détails sur le pensionnaire, il répondit: «*Elle* est aussi enceinte.» Voici une autre lettre:

> Cher George,
> Il y a longtemps que j'ai passé l'âge de la retraite et je n'ai pas une vie sexuelle très active. Un de mes amis, qui a deux ans de plus que moi, prétend avoir des relations trois fois la semaine. Est-ce possible?

Je répondis ce qui suit: «Si votre ami le fait, vous pouvez sûrement le faire aussi.» À mon humble avis, c'était là la réponse parfaite. De toute façon pour résoudre ce genre de problème, on ne doit pas croire ce que disent les autres, même s'ils s'appellent George Burns.

Voici une autre lettre, signée Frank:

Cher George,
Chaque fois que nous nous mettons au lit, mon épouse et moi, et que je lui fais des avances, elle répond infailliblement: «J'ai mal à la tête.» Que dois-je faire?

Voici ce que j'ai répondu: «Après le souper, alors que vous vous installez devant la télévision, offrez deux aspirines à madame. Elle vous dira qu'elle n'a pas mal à la tête. Et le tour sera joué. Le lendemain, trouvez une meilleure idée.»
Il y a même des jeunes femmes qui m'écrivent:

Cher George,
Dites-moi s'il est vrai qu'à votre âge, vous avez encore une vie sexuelle active.

Ce à quoi je réponds: «Je ne crois quand même pas que je puisse encore *faire* l'équipe olympique en matière de sexe, mais je pourrais certainement faire partie des réservistes.» Voilà une réponse qui ne veut rien dire. Mais à quoi bon traiter sérieusement des gens qui prennent les choses à la légère? Ma correspondante ne méritait pas mieux: elle avait oublié de donner son numéro de téléphone.
Voici une autre lettre qui est presque incroyable:

Cher George,
Voilà huit ans que je suis marié. J'aime beaucoup mon épouse. Malheureusement, elle est nymphomane. Que dois-je faire?

Ma réponse s'imposait: «Cessez de vous plaindre et prenez conscience de votre bonheur.»

Cela suffit à donner une bonne idée de ma correspondance. Nous voici arrivés au bout du chapitre. Vous comprendrez toutefois que je ne puisse pas le clore sans vous amener à quelques réflexions un tant soit peu sérieuses. Ne vous attendez pas à tout avoir tout cuit dans le bec. En matière de sexe, il faut que chacun fasse sa part. Après quelques années de mariage, les gens s'imaginent que tout est gagné et leur vie sexuelle s'enlise dans l'habitude. J'en connais qui ne se donnent même plus la peine de fermer la porte de leur chambre. C'est là une grossière erreur. Les relations sexuelles sont partie essentielle de la vie privée des gens. Si vos rapports amoureux sont si dénués d'originalité que vous ne songiez même pas à conserver un semblant d'intimité, l'affaire est grave.

Des amis à moi, mariés de longue date, laissaient la porte de leur chambre ouverte quand ils faisaient l'amour. Un soir, comme on s'en doute, leur petite fille entra dans la chambre au plus mauvais moment. La mère leva la tête et dit: «Elsie, retourne dans ta chambre. Ferme la porte en sortant. Je suis à toi dans trente secondes.» Cela mit fin aux élans de sa fille... et de son mari.

Enfin, n'oubliez jamais que quel que soit votre âge, la vie sexuelle peut continuer. On ne doit pas la négliger parce que les relations sexuelles sont une facette importante de l'activité humaine. Sachez seulement faire preuve de modération. Le risque que courent les immodérés, c'est de ne pas avoir assez d'énergie pour terminer ce qu'ils ont commencé.

Les parents c'est bien,
quand ce sont ceux des autres.

Si vous lisez attentivement ce que j'écris, vous vous souviendrez que j'ai dit précédemment que selon moi, le sexe avait sa place dans toute bonne famille. Naturellement, je visais autant les parents que les enfants. Les enfants sont merveilleux. Ils ont toujours le bon mot pour rire. Il vous embrassent, vous enlacent, vous passent les mains dans les cheveux. Ils sautent dans votre lit quand l'envie leur en prend, quelle que soit l'heure du jour ou de la nuit. Ils ont le sens de l'humour et rient à la moindre blague. Dès que l'ennui menace, vous trouvez un enfant qui est prêt à vous sauter sur le dos pour faire du cheval. Et quand les parents gagnent en âge, les enfants grandissent. Ils donnent un sens au mariage et font naître un certain sentiment du devoir accompli chez les parents. (Voilà une phrase qui semble tirée tout droit d'un sermon. Il n'y a rien de surprenant à cela, puisque si j'ai bonne mémoire, c'est bien dans un sermon que je l'ai prise. Si Milton Berle se permet de citer mes phrases sans en donner la source, je puis me permettre d'en faire autant avec celles de Billy Graham!)

Tout cela pour dire que les enfants sont merveilleux. Certaines mauvaises langues disent aussi que les enfants enlèvent un peu à l'espérance de vie des parents. Puisque j'en suis à 87 ans, je peux prétendre que mes deux enfants et mes sept petits-enfants n'ont pas été trop éprouvants. À bien y penser pourtant, le fait que mon numéro de téléphone ne paraisse pas dans l'annuaire et que je change souvent de domicile y est sans doute pour quelque chose.

J'ai des amis qui ont passé leur vie à se faire du mauvais sang pour leur fils. Lorsque leur petit Billy passait la journée à l'extérieur et avait plus d'une heure de retard, ils mangeaient les plafonds et finissaient par prévenir le bureau des personnes disparues. Quand il faisait froid, leur souci était encore plus intolérable; ils n'en mangeaient plus. Quand il faisait soleil, ils ne se laissaient pas décourager par les distances et parcouraient facilement plusieurs dizaines de kilomètres pour porter un chapeau oublié à leur fils chéri. Jusqu'ici, rien de bien étrange. Personne ne s'étonnera de l'attention que portent ces parents à leur garçon. Moi non plus d'ailleurs, si ce n'est que Billy aura 61 ans en janvier.

On ne peut blâmer les enfants. Ce sont souvent les parents qui se rendent le plus coupables de surprotection. Tout le monde connaît des gens qui agissent de la sorte. Il est même possible que vous vous reconnaissiez. On s'inquiète quand l'enfant étudie trop et ne prend pas le temps de se faire des amis. On s'inquiète encore quand l'enfant prend le temps de se faire des amis au point de ne plus avoir le temps d'étudier. On s'inquiète d'une jeune fille qui ne sort jamais, et on s'inquiète doublement si elle sort trop;

on s'inquiète si elle est trop jeune pour se marier et songe déjà à prendre époux, puis on s'inquiète encore l'année d'après si elle est revenue sur sa décision et ne s'est pas encore mariée, parce qu'elle est alors trop vieille. On s'inquiète quand une femme refuse de travailler pour s'occuper du foyer. On s'inquiète encore quand elle veut travailler au lieu de moisir à la maison.

Je doute que les oiseaux aient ce genre de problème. Dès leur plus jeune âge, les oisillons apprennent à voler de leurs propres ailes. Après quelques semaines de vie commune, les parents saluent leurs petits; ils ne les verront plus jamais (à moins de fréquenter le même quartier). Les oiseaux font donc cent fois mieux que les humains. En y réfléchissant bien, j'avoue ne pas me souvenir avoir vu un oiseau plisser le front sous le poids des soucis. Il faut dire que je ne me souviens pas non plus d'avoir vu un oiseau de plus de 100 ans. J'ai un perroquet qui prétend avoir 64 ans, mais c'est un fieffé menteur. (Si je me permets quelques emprunts à Billy Graham, on ne peut reprocher à mon perroquet d'en faire autant avec moi.)

Comme tous les parents du monde, j'ai toujours voulu que mes enfants aient au moins tout ce que j'ai eu quand j'étais enfant. Dans mon cas, cela ne représentait pas un problème insoluble, loin de là puisque je n'avais rien. Dans les grandes familles (j'avais sept soeurs et quatre frères), on ne souffre pas de surplus d'attention. Jamais mes parents n'ont élevé la voix. Il est vrai que ça leur était difficile du fait qu'ils avaient peu de mémoire et ne parvenaient pas à mémoriser nos noms. Pendant cinq ans, ils m'appelèrent «Hé!

Toi». Par la suite, mon père se mit à me confondre avec Sammy, l'un de mes frères aînés. Cela m'ennuyait, mais pas autant que mon autre frère, Willie qui lui, se voyait confondre avec ma soeur Sarah. Je n'ai jamais su pourquoi, d'autant plus que Sarah avait les pieds deux fois plus longs que ceux de Willie.

Lorsque vint le temps du collège, mes parents en firent une maladie. En comptant bien, je crois qu'il est raisonnable de penser que notre éducation secondaire leur aura coûté au bas mot entre trente et quarante mille dollars. Et je ne tiens pas compte du prix des timbres, du papier et des enveloppes qu'il nous fallait pour réclamer, une fois la semaine, un peu plus d'argent de poche. N'empêche que tous les parents croient en la nécessité des études secondaires, même s'il leur faut hypothéquer leur maison pour payer les comptes du collège ou annuler la fin de semaine qu'ils souhaitaient passer au Cedars-Sinai — ce qui est la seule chose qui soit plus coûteuse que quatre années de collège.

Mes parents n'avaient heureusement pas ce problème là. À la fin de l'année scolaire, alors que j'étais en quatrième année, mon père me dit: «Félicitations, fils. À partir de maintenant, tu peux te débrouiller seul.» Je n'ai plus jamais remis les pieds dans une école. Du coup, j'ai rapporté à l'école toutes les craies que j'avais volées à mademoiselle Hollander, l'institutrice, qui en a profité pour me remettre la bague qu'elle m'avait confisquée.

À dix-sept ans, mon fils Ronnie était déjà grand et fort, beau garçon, doué d'un sens de l'humour peu commun. Un jour, Gracie me dit: «George... Ozzie et

104

Harriet ont engagé leurs deux garçons dans leur troupe. Pourquoi n'en ferions-nous pas autant avec Ronnie?»

J'ai répondu que je trouvais l'idée bonne. «Je vais tenter de rejoindre Ozzie et Harriet et leur demander s'il n'y aurait pas une place pour un troisième fils.» Comme Gracie ne riait pas de ma blague, je me repris: «C'est une bonne idée», dis-je. Le seul ennui, c'est que nous n'en avons jamais glissé le moindre mot à Ronnie.

Au début, il n'avait que quelques tirades à dire. Tout allait bien. Petit à petit, sa participation se faisait plus consistante et l'importance de ses rôles allait grandissant. La foule avait le béguin pour le jeune premier qu'il était. Il partagea donc la vedette avec nous pendant des années. Pourtant, il n'a jamais été vraiment intéressé par ce qu'il faisait. Ce qu'il appréciait surtout, c'était les filles qui lui couraient après, celles qui l'attendaient tous les soirs au restaurant Luau. Il se préparait une drôle de carrière.

Après deux ans de ce petit jeu, nous fûmes convaincus que Ronnie avait des talents de comédien. Un jour donc, je l'ai pris à part et lui ai expliqué qu'il fallait, pour son bien, qu'il aille à New York. Là, il suivrait des cours d'art dramatique au studio *Lee Strasberg Actors*. J'ajoutai que Strasberg avait *forgé* la plupart des grandes vedettes américaines du siècle. En deux ans d'études, il avait donc de bonnes chances de prendre lui aussi place parmi les plus grands. Sa réponse fut nette: «Merci papa, mais il n'est pas question que je quitte le Luau pour si peu.»

Je poursuivis: «Je sais que les filles du Luau sont belles, Ronnie, mais je ne doute pas que les filles de

New York soient plus belles encore. Elles sont par ailleurs tout à fait identiques à celles du Luau, physiquement parlant.» Malgré cela, je n'ai pas réussi à le convaincre. Ronnie se satisfaisait d'être un grand parmi les grands... au Luau.

Notre garçon s'est bien débrouillé dans la vie. Aujourd'hui, il est heureux. À l'époque cependant, son refus me créa beaucoup de soucis. En fait, cela m'a coûté deux ans de ma vie. Si ce n'était de cette histoire, j'aurais aujourd'hui 89 ans. Néanmoins, j'ai profité de la leçon; je sais combien il est nécessaire de laisser les enfants décider par eux-mêmes. Mon père a fait la même erreur avec moi. Quand je lui ai fait part de mon intention de devenir comédien, il s'est fâché. «Comédien, ce n'est pas un métier!», avait-il lancé. «Il n'y a pas de futur pour les comédiens. Tu ne feras rien de mieux dans la vie que cet espèce d'Al Jolson que tu fréquentes! Réfléchis. Fais quelque chose d'utile: lance-toi dans la confection, par exemple; couds des feutres.» Pendant longtemps, cette dernière phrase m'avait trotté dans la tête: «Couds des feutres.» (Il voulait dire: «Couds des chapeaux de feutre.») Avec ce que je sais aujourd'hui, je crois bien avoir pris la bonne décision. Pourtant, je me sens encore tellement coupable que je ne sais pas prendre de douche sans porter un chapeau de feutre.

On reproche aux gens de chercher à diriger la vie de leurs enfants. Il y a pis encore; il arrive en effet que les enfants cherchent à diriger la vie de leurs parents. Ils vous disent, par exemple, quoi manger, comment vous habiller, l'heure à laquelle vous devez vous coucher et celle à laquelle il faut vous lever; ils ne vous laissent pas conduire votre voiture, ils vous aident à vous asseoir ou à vous lever, ils vous font vieillir prématurément. En fait, plus vous vieillissez, plus ils vous traitent comme un enfant. Si au moins on avait réellement le choix entre la canne, qui appartient au vieillard, et le sein qui nourrit le nouveau-né! Le pire, c'est qu'ils prétendent encore que vous ne savez plus gérer votre argent. Ils se proposent de le faire à votre place. Soyez assuré que si vous êtes consentant, vous voyez votre argent, comme vos enfants, pour la dernière fois.

C'est ce qui est arrivé à Oncle Frank. Ses enfants lui ont pris tout son argent, jusqu'au dernier sou en fait. Ils investirent le tout dans une petite affaire d'électronique installée dans un garage, au fond d'une cour. Je lui demandai pourquoi il les avait laissés faire. «Ce sont mes enfants, répondit-il, et ils veulent m'aider.» En fin de compte, le succès de l'entreprise fut fulgurant et Oncle Frank se retrouve aujourd'hui multimillionnaire. (Eh! J'ai dû me tromper quelque part. Voilà une histoire qui contredit mon propos. Bof! Après tout, l'erreur est humaine. Et puis, on ne peut trop exiger d'un écrivain qui devait, à l'origine, vendre des feutres.)

Il n'y a pas que les enfants qui peuvent réduire votre espérance de vie. Les autres membres de votre famille font leur part, croyez-moi. Il y a les frères et les sœurs, les tantes et les oncles, les neveux et les nièces, les cousins et les cousines, les grands-parents, la belle-famille et parfois même les animaux domestiques. Tout ce beau monde a des moyens efficaces pour vous empêcher de devenir centenaire.

À sa naissance, tout être humain possède deux choses: ses couches et sa famille. Ces deux éléments

Quelques parents de l'auteur.

peuvent être aussi détestables l'un que l'autre à cette différence près qu'un jour ou l'autre, on finit par se débarrasser des couches. Les enfants qui ont le malheur d'être adorables ont de surcroît la totalité de la famille sur le dos; on ne les a jamais assez vus. Quant aux enfants difficiles, il leur est impossible de trouver une famille car tout le monde s'éclipse. C'est à se demander au bout du compte s'il ne vaut pas mieux être détestable.

Rien n'est plus ennuyeux que la famille qui vient un jour en visite et qui, cinq années plus tard, est toujours là. Les deux premières années se passent généralement bien; il est rare que l'on fasse plus d'une dépression par année. Mais les choses se corsent par la suite. Les parents partagent tous les repas: ils sont à table au souper, puis sont levés les premiers le matin pour le déjeuner; ils ont leur fauteuil préféré et gare à qui le leur prendrait; quand ils n'aiment pas vos amis, ils invitent les leurs (qui ne vous plaisent pas non plus); si vous regardez la télévision, ils se chargent du choix du poste... Au bout de cinq ans, vous êtes si confus que vous dites à votre épouse: «Viens. Faisons nos valises et retournons chez nous.»

Mes parents n'avaient pas, pour notre plus grand bonheur, de parenté qui s'incrustait ainsi chez nous. Nous n'avions d'ailleurs pas de place pour accueillir des visiteurs. Il était aussi entendu que lorsque l'un de nous quittait la maison, il fermait définitivement les portes. Il n'y avait pas de retour possible. Cela me rappelle ma sœur Teresa, qui était l'épouse de Charlie Kalendar. Un jour, après une discussion particulièrement vive, Teresa fit ses valises et revint «chez sa mère». Elle lui dit: «Maman, Charlie a besoin d'une leçon. Je viens donc passer quelque temps ici.» Ce à quoi ma mère, qui ne perdait jamais le nord, répondit: «Si tu veux donner une leçon à ton mari, tu vas retourner à la maison et c'est moi qui irai vivre avec vous.» Ma mère savait vraiment y faire. Elle pouvait faire face à toutes les situations.

Je n'oublierai pas non plus cette histoire, qui date de quelques années et s'est passée à Akron, en Ohio. Jascha Heifetz, l'un des plus grands violonistes contemporains, donnait un concert. Ce soir-là, le vent soufflait en tempête; l'orage était d'une violence inouïe. La pluie avait découragé la plupart des amateurs et la salle était presque vide. Le gérant fit donc face au petit groupe de fans et après avoir présenté ses excuses, annonça que le concert était annulé en raison de la faible assistance et que tout le monde allait être remboursé. L'un des spectateurs se rendit à la loge du violoniste et lui dit: «Monsieur Heifetz, je suis l'un de vos plus fervents admirateurs. Ma femme et moi sommes venus de Youngstown pour vous entendre. Alors *chantez-nous* au moins une chanson.»

Cette histoire n'a rien à voir avec le sujet qui nous préoccupe, mais je ne voulais pas terminer ce chapitre sans mériter quelques éclats de rire. En y pensant bien d'ailleurs, il n'est pas question que je passe immédiatement au chapitre suivant. Je viens de réaliser que j'avais consacré tout mon texte à mon fils Ronnie sans même mentionner le nom de ma fille, Sandra. Elle ne me le pardonnera pas. Je ferais mieux de me reprendre. C'est pourquoi je parlerai d'elle quatre fois en tout, question d'être équitable: Sandra, Sandra, Sandra, Sandra.

La mécanique humaine...
et ses mécaniciens..

Il est inutile de se raconter des histoires. Tout le monde se doute bien qu'avec l'âge, les facultés de l'être humain s'affaiblissent. Le corps ne travaille pas aussi bien qu'à 20 ans; la machine donne des signes de fatigue. Ce qui est curieux cependant, c'est que pour ma part, j'attends toujours que cela se produise. Quand j'en serai là, j'essayerai d'en tirer le meilleur parti possible. J'ai aujourd'hui 87 ans et j'affirme qu'il n'y a rien que je ne puisse pas faire maintenant, de ce que je faisais lorsque j'avais 18 ans. En fait, je peux faire plus qu'à l'époque... car je ne faisais rien à 18 ans. J'étais un beau fainéant, et c'était pis encore quand j'avais 17 ans. Les choses ne s'étaient pas beaucoup arrangées non plus à 25 ans. Je gardais toute mon énergie pour plus tard, pour le jour où j'allais avoir 87 ans. Au fait, pour quelqu'un qui déteste se vanter, je me débrouille pas mal, n'est-ce pas?

Soyons franc. Je dois reconnaître que ces derniers temps, j'ai remarqué certains signes avant-coureurs qui prouvent que l'âge est là. Ça me paraît flagrant quand je me regarde les ongles, par exemple, et que je remarque que mes cuticules ne sont plus ce qu'elles étaient, ou quand je fume un cigare, alors que les ronds de fumée sont de plus en plus petits. (Ils sont aussi moins ronds qu'autrefois.) Je ne mets plus qu'une seule olive au lieu de deux dans le martini. Je me dois d'être réaliste: les choses ne sont plus ce qu'elles étaient. Si je continue à perdre ainsi du terrain, j'ai bien peur de me retrouver comme à dix-huit ans, alors que j'étais rongé par la fainéantise. Mais voilà que je me répète. C'est bien ce que je disais: les choses ne sont plus ce qu'elles étaient.

L'âge à partir duquel on vieillit varie selon les individus. J'ai un ami qui a mon âge et n'a rien perdu de son attrait auprès des femmes. Il est toujours célibataire. Je l'ai rencontré dernièrement et comme je lui demandai: «Comment vas-tu, Charlie?», il me répondit: «George, tu ne me croiras pas, mais les choses ne sont plus ce qu'elles étaient. Tous les matins, je me retrouve sur le même banc, dans le même parc, mais on dirait que rien n'est comme avant. Si je vois une belle fille qui passe en faisant son jogging, j'ai toujours cette envie folle de lui courir après pour lui proposer un verre de Nutri-Diet. L'ennui, c'est que maintenant, le temps que je me lève et m'élance, elle a pu se rendre chez elle, prendre une douche et boire son café du matin.»

Quelle histoire! C'est à vous faire mourir de dépression!

«Le pire, poursuivit Charlie, c'est que j'ai un réfrigérateur plein de Nutri-Diet.»

Pourtant, je suis convaincu que Charlie est particulièrement chanceux. Aussi chanceux que moi en fait... et que tous les gens âgés. De nos jours, nous avons la science pour et avec nous. Quand les pièces de la machine donnent des signes de fatigue, il suffit de les remplacer. Il n'y a pas si longtemps, il fallait se contenter des vieux morceaux. On ne pouvait à peu près rien faire. George Washington, par exemple, avait quelques dents de bois et cela ne l'arrangeait guère. En effet, il passait un mauvais quart d'heure chaque fois que Martha, son épouse, entendait l'une de ses amies se plaindre d'avoir des échardes aux lèvres.

On connait aussi l'histoire du capitaine Crochet qui avait perdu une main, alors remplacée par un vilain crochet de métal. Cela avait un certain côté pratique, sans doute, mais présentait aussi des inconvénients. S'il se grattait, il ne pouvait plus s'asseoir pendant quatre jours. Long John Silver, pour sa part, avait une jambe de bois. C'est pour cela qu'il perdit un concours de danse... de Charleston!

De nos jours, heureusement, c'est différent. On peut obtenir, sur commande, un coeur artificiel, un rein artificiel, une articulation en plastique, une clavicule en argent, etc. Il y a des gens qui ne s'inquiètent plus de vieillir; leur crainte première, c'est la rouille. Les médecins de famille sont remplacés par des techniciens qui répondent aux appels de service. C'est formidable. On fait faire la mise au point et l'on est bon pour une autre tranche de 5000 km. D'ici à ce que je fête mon centenaire, les gens ne mourront plus. On procédera par échanges. Et ceux qui ne réussiront pas à trouver preneur pourront toujours laisser leur corps au cimetière d'autos.

Ne croyez pas que sous soyons ici en pleine science-fiction. N'existe-t-il pas des banques des

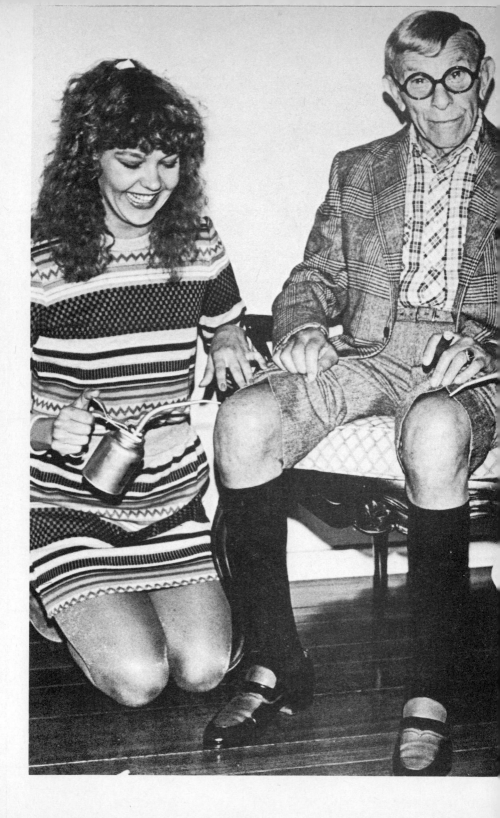

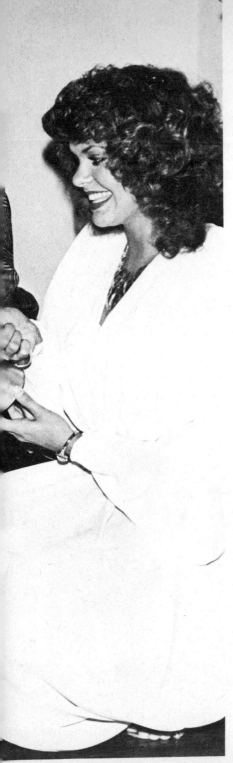

L'auteur lors de sa
mise au point périodique.

yeux? Dans quelques années, les revendeurs auront pignon sur rue et il y aura des magasins à rayons où l'on trouvera tout ce qu'il faut pour l'homme vieillissant. Les jeudis soirs, vous pourrez en profiter pour changer de rein en même temps que vous changez de chaussures. Si c'est un magasin de confiance, vous aurez même, raisonnablement, une période de dix jours d'essai gratuit. Une fois le temps écoulé, vous retournez le rein s'il ne vous convient pas. L'idée est bonne en soi. Il y a toutefois certaines choses que j'aimerais ainsi essayer, mais je n'ai pas réussi à trouver de magasin qui en fasse le commerce.

J'ai une foi inébranlable en l'Amérique et son système de libre entreprise. Je vous répète qu'un jour, l'échange d'organes sera non seulement possible, mais qu'il y aura même un choix de couleur. Les gens diront, en entrant au magasin: «Donnez-moi un rein bleu et un foie jaune. Ce sont les couleurs de ma troupe scoute. Mettez-m'en aussi des noirs, pour les tenues de soirée.»

Bien sûr, il faudra aussi tenir compte de l'apparence extérieure. Le neuf ne pourra s'accommoder du vieux, d'une enveloppe marquée par les ans et peu présentable. La chirurgie esthétique s'occupe déjà de cette facette du problème. D'ailleurs, qui peut être sûr de connaître l'âge exact de son voisin? Il se peut qu'il ait un nouveau nez, des oreilles flambant neuves, qu'il se soit débarrassé de son double menton, qu'il ait changé ses yeux et, si c'est une femme, qu'elle ait fait remodeler ses seins ou même son arrière train. J'ai eu le bonheur de passer une agréable soirée avec une jeune fille qui affirmait n'avoir que 20 ans, la semaine dernière. J'ai appris qu'elle en avait en réalité 70! C'est ma faute. J'aurais dû me douter de quelque chose quand elle m'a dit qu'elle s'appelait Irving.

On ne s'imagine pas tout ce que les gens sont prêts à endurer pour changer leur apparence. Il y a quelques années de cela, l'un de mes amis, du nom de Jimmy Davidson, vivait une aventure avec une fille d'une beauté remarquable. Il n'avait qu'une idée en tête: épouser sa compagne. Il lui plaisait bien aussi mais l'ennui, c'est qu'elle était beaucoup plus grande que lui. Elle lui dit donc: «Jimmy, je t'aime, et je t'épouserais volontiers si tu avais cinq centimètres de plus.» Il n'en fallait pas plus pour que Jimmy fasse des exercices d'étirement. Pendant trois mois, il passa des heures chaque jour assis sur une machine de son invention. S'il n'en était pas mort, Jimmy aurait été un mari parfait. Il était fort sympathique. Il ne lui manquait pourtant qu'un centimètre le jour de son décès. Dommage.

Dans le monde du spectacle (qui est le mien, quand je ne me mêle pas de tenir la plume), l'apparence est primordiale. Les jeunes premiers et les plantureuses jeunes femmes doivent une bonne part de leur succès à leur corps. Inutile de préciser qu'à la moindre alerte, à la moindre ride, ils se retrouvent assis dans le fauteuil d'un chirurgien. Ils se payent ensuite une balade à New Haven (Conn.). Si les passants qu'ils croisent n'y voient que du feu, ils reviennent à Hollywood.

Ce que j'avance là est vrai non seulement pour les acteurs, mais aussi pour les chanteurs, les comédiens et les danseurs. Prenons l'exemple de Phyllis Diller, qui se plaît à parler de ses *liftings* en spectacle et qui, en vérité, est passée tant de fois en chirurgie plastique qu'elle en sait suffisamment pour se débrouiller seule.

Dans le monde du *show business*, les gens sont souvent conscients de leurs points forts. Un jour, Kirk Douglas me demanda: «George, maintenant que je me fais vieux, crois-tu que je devrais faire disparaître mes fossettes?» Comme je répondai par la négative, il décida de suivre mon conseil. Il faut dire que son talent a peut-être aussi joué dans le succès qu'il a connu, en dehors de toute considération d'ordre physique. À preuve mon frère Sammy, qui vit à Orange (N.-J.). Il a trois fossettes et deux mentons, ce qui est bien mieux que Kirk Douglas, il est néanmoins au chômage depuis trois ans.

Il y a même des comédiens qui feraient un drame s'il leur fallait changer certains de leurs traits. Dans leur cas, les caractéristiques physiques font l'essentiel de leur image publique. Lorsque Jimmy Durante a fait ses débuts, il s'inquiétait fort de son gros nez. Il craignait que cela ne ruine sa carrière. Il fit le tour des chirurgiens de la ville et se fit faire des estimations. Comme il n'avait pas assez d'argent, Jimmy dut se mettre au travail. Il donna de nombreux spectacles. En peu de temps, son nez devint si populaire qu'il en oublia l'opération projetée. Il n'en parla jamais plus d'ailleurs.

Imaginez Bob Hope ou Danny Thomas avec un profil normal! Ils ne seraient plus rien de ce que nous connaissons. Fanny Brice, pour sa part, n'a pas un petit nez non plus. Elle a renoncé à toute opération afin de permettre à Barbra Streisand de tenir son rôle dans l'histoire de sa vie. Qu'aurait été Maurice Chevalier s'il s'était fait replacer les lèvres par un chirurgien? Il aurait eu un sacré courant d'air sur les pieds sans sa lèvre inférieure, chaque fois qu'il aurait chanté «Louise»... Eddie Cantor n'aurait jamais eu de succès sans ses yeux globuleux. Imaginons de même Dolly Parton sans cheveux!

Je ne veux pas dire que l'apparence ne compte pas dans le succès de certains comédiens. Ce que je demande, c'est quelle en est l'importance? Prenons Mickey Rooney. Il est petit, chauve, boulot, et il s'est marié huit fois... sans parler des aventures qu'il a eu entre chacun de ses mariages.

Selon moi, ce qui est admirable, ce sont les succès de la chirurgie moderne qui transplante n'importe quoi n'importe où. Le seul pontage cardiaque permet à des milliers de gens de mener une vie active alors qu'il y a peu de temps, ils seraient tous morts et enterrés. Je suis l'un de ceux-là. Et cela ne concerne que les artères. Parlons des stimulateurs cardiaques, des transplantations cardiaques, des valves de plastique... D'ici peu, on réussira à mettre au point un coeur artificiel. Si cela se produit bientôt, il est possible que je devienne éternel. Quelle idée de vouloir se limiter à 100 ans! Visons plus loin; visons l'éternité. La seule chose qui m'inquiète, c'est qu'au bout du compte, avec toutes ces pièces de rechange, je puisse perdre ma personnalité et me sentir devenir quelqu'un d'autre. Qui que je sois alors, je souhaite accepter de poursuivre *ma* carrière. Il y a, en y pensant bien, pas mal d'idées dont je n'ai pas encore tiré profit.

Comment vivre jusqu'à 100 ans si l'on cesse de vivre à 65 ans?

Alors que j'écris ces lignes, il y a des milliers de travailleurs qui arrivent à l'âge de la retraite. À ceux-là, je n'ai qu'un mot à dire: travaillez! Ne prenez surtout pas votre retraite. Je sais qu'il n'est pas bien de donner des conseils ou des ordres aux autres, mais je ne peux m'en empêcher dans ce cas-ci. C'est sérieux. C'est même si sérieux que pour le reste de ce chapitre, je ne ferai pas la moindre blague. Voilà. Ce ne sera sans doute pas facile d'éviter de faire des blagues pendant tout un chapitre. Mais quand c'est nécessaire, il faut ce qu'il faut. Je lutterai contre mon naturel, qui reviendra au galop chaque fois que je le chasserai. J'espère seulement que cela ne me fera pas trop mal. Et même si c'était le cas, je crois que cela en vaut la peine tant le sujet est important. Au fait, de quoi parlions-nous? Ah oui! Il était question de retraite...

Disons que vous avez 65 ans et deviez prendre votre retraite. Au travail, vos confrères fêtent votre départ, en votre compagnie cela va de soi. Vous rentrez à la maison les larmes aux yeux en pensant à toutes ces bonnes années, les jointures douloureuses tant vous avez serré de mains avant de partir. Pauvres confrères. Ils ne savent pas combien leur travail sera difficile sans vous. Mais c'est leur problème, pas le vôtre. Vous n'avez plus à vous en faire pour personne maintenant. Il n'y a plus de pression sur vos épaules: vous êtes à la retraite. À partir de ce jour béni, croyez-vous, vous êtes libre de faire ce qui vous plaît, quand ça vous plaît. (Ici, j'allais ajouter une blague. Comme vous voyez, je fais des efforts surhumains pour me retenir.)

La première semaine se passe sans problème. Vous bricolez et la vie s'écoule, douce et paisible. Pourquoi pas? Il y a tant de choses que vous remettiez à plus tard, sans jamais avoir le temps de les régler définitivement. Vous vous lancez dans les rénovations, multipliez les coups de pinceau, mettez votre correspondance à jour, entretenez le jardin, etc. Vous trouvez même le temps de jouer au golf ou de partir à la pêche. Le temps passe. Vous êtes heureux. Votre épouse est aussi heureuse que vous. Un jour, vous rencontrez un ancien confrère de travail. Vous remarquez avec surprise la marque des soucis sur son visage. Vous vous sentez doublement heureux d'être à la retraite! C'est ça la vie; et vous comprenez de mieux en mieux pourquoi l'on parle d'*âge d'or*.

Mais ce n'était que la première semaine. Le lundi suivant, à neuf heures du matin, vous commencez votre deuxième semaine de retraité. Il y a bien deux heures que vous êtes réveillé. Vous avez déjà bu deux tasses de café et lu le journal de la première à la dernière ligne, y compris les pages nécrologiques et les annonces classées. L'idée vous vient alors de préparer le déjeuner pour votre épouse qui paresse au lit. Bonne idée, d'autant plus qu'il y a bien vingt ans au moins que vous ne l'aviez pas ainsi gâtée. Sa première réaction est directe: elle est fâchée parce que vous l'avez réveillée. Ensuite, elle ne veut pas prendre son déjeuner au lit parce qu'elle trouve cela hautement inconfortable. Et pourquoi vous mettez-vous, du jour au lendemain, à lui porter le déjeuner au lit? Elle trouve cela louche. Elle se doute de quelque chose, vous soupçonnant d'avoir l'oeil sur la divorcée que vous ne manquez jamais de rencontrer en descendant à la buanderie de l'immeuble. Elle vous dit: «C'est la dernière fois que tu vas laver ton linge seul!» Quelle histoire. Néanmoins, cela vous a permis d'écouler une heure à tenter de calmer votre épouse.

Il est donc dix heures du matin. Vous lui dites: «Chérie, nous avons la journée devant nous. Qu'allons-nous faire?» Elle répond: «Je ne sais pas ce que tu choisiras mais moi, je vais jouer au bridge.»

Elle a déjà décidé. Que ferez-vous alors? Un peu de ménage? C'est fait depuis la semaine dernière. Vous ne pouvez pas non plus arroser le jardin puisqu'il pleut à seaux. Votre bureau? Bien sûr, puisqu'il vous faudra bien quelques heures pour parvenir à mettre un semblant d'ordre.

La journée se passe ainsi. Vous souhaitez dîner ce midi-là en compagnie d'anciens confrères. Ils ont tous hâte de vous voir, du moins c'est ce qu'ils vous disent quand vous leur téléphonez. Ils vous disent aussi qu'ils sont pris ce midi et que ce n'est que partie remise. Vous n'avez cependant pas tout perdu car vous parlez à celui qui vous remplace et vous apprenez que vous n'avez pas laissé de vide au bureau ou que personne ne vous regrette. (Si c'est drôle, ce n'est pas moi qui l'ai dit, mais votre remplaçant. Je tiens donc ma promesse.) La journée finit par arriver à son terme. Le film aura aidé. C'est la première fois que vous allez au cinéma au beau milieu de l'après-midi. Vous remarquez avec surprise que vous n'êtes pas seul; il y a trois autres personnes dans la salle. Ne vous découragez pas. Les jours se suivent mais ne se ressemblent pas. Il y aura sûrement des jours pis encore. En fait, si vous vivez jusqu'à 100 ans, vous en avez pour trente-cinq ans de cette vie de retraité.

Je sais qu'il y a des gens qui se débrouillent mieux que d'autres. Ils parviennent à se faire aux exigences de la mise au rancart. Je ne sais d'ailleurs pas comment ils font. Je sais aussi que pour la plupart des mortels, la retraite présente un problème quasi insoluble.

Le plus curieux, c'est que tout ce que vous croyiez si intéressant, alors que vous étiez au travail, n'est pas aussi agréable maintenant que vous disposez de tout le temps voulu pour le faire. Prenez par exemple l'amateur de golf, qui ne pense qu'à la retraite, heureux temps où il pourra passer ses journées sur le terrain. L'ennui, c'est que maintenant qu'il peut jouer du lever du soleil à la tombée de la nuit, il ne peut plus tenir sur ses jambes. Il décide donc de se consacrer à la pêche à la ligne. Il s'équipe de pied en cap afin de pratiquer son nouveau loisir selon les règles de l'art. Après avoir enfilé ses bottes-culottes, coiffé le traditionnel chapeau décoré de mouches multicolores, il est prêt pour sa première excursion de pêche. (C'est là une précision inutile, puisqu'il ne risque pas de réussir un trou d'un coup ainsi affublé!)

Au début, il prend plaisir à pêcher. L'engouement ne dure cependant qu'un mois. Après trente jours de pêche assidue, il ne peut même plus voir un poisson sans en avoir un haut le coeur. Il décide donc de se reposer quelque temps à la maison. Trois semaines plus tard, ayant tué le temps en suivant son épouse dans tous les coins de la maison, il retourne à la pêche.

La retraite amène des changements radicaux dans la vie d'un homme (ou d'une femme). Comme tout changement, il provoque un choc plus ou moins notable. Pensez à Sylvester Stallone et à ce qui arriverait, s'il fallait qu'il cesse du jour au lendemain de tenir le rôle de «Rocky», ou à Burt Reynolds s'il devait prendre la soutane, ou encore à Bob Hope s'il devait laisser à quelqu'un d'autre le soin de faire les annonces publicitaires lors de son émission. On pourrait multiplier les exemples du genre mais c'est parfaitement inutile.

Selon moi, le plus grand risque que court un retraité est celui de voir son attitude se modifier. Quand on n'a rien à faire, on se sent vieillir, on agit comme quelqu'un qui vieillit. C'est là une grossière erreur. La plupart des gens, quand ils atteignent l'âge de la retraite, se préparent à agir en vieux. Ils font de petits pas, ils s'exercent à pousser des gémissements quand ils s'asseoient et quand ils se lèvent, à s'endormir quand on leur parle, etc. En moins de cinq ans, ils atteignent leur but et sont séniles. Ce n'est pas mon cas. À 65 ans, j'ai gagné un concours de Charleston. Vous ne me croirez peut être pas, mais c'est pourtant la vérité qui est somme toute facile à vérifier. C'est Lionel Barrymore qui a pris la deuxième

L'auteur en train de chercher à convaincre une jeune admiratrice de prendre sa retraite.

place. C'est bizarre que je m'en souvienne si bien, mais la mémoire est une bien curieuse faculté.

L'attitude compte beaucoup. À mon âge, il est important de se tenir occupé. Il faut trouver des activités qui nous obligent à sauter en bas du lit. Qui d'ailleurs a pu gagner sa vie en restant couché? L'important, c'est de se lever. Fixez-vous des objectifs, donnez-vous des motifs valables: une activité, des affaires, une jolie fille (et voilà que nous nous retrouvons de nouveau au lit.) N.B.: Si la blague vous semble un peu déplacée, ne soyez pas choqué. À mon âge, laissez-moi au moins en parler...

Je peux affirmer, en toute honnêteté, que l'idée de prendre ma retraite ne m'a jamais effleuré l'esprit. Il est possible que d'autres aient fortement souhaité que je cesse mon travail, mais je ne l'ai jamais voulu. Au tout début de ma carrière, je tenais des rôles bien secondaires. Ce serait mentir que prétendre que j'étais le pire acteur du pays; je me contentais d'être simplement mauvais. Il arrivait souvent qu'à la fin de la représentation, les gens se lèvent et crient: «À la retraite! À la retraite!» Il y en a même qui ne mettaient pas tant de délicatesse pour faire passer leur message. Je n'oublierai jamais un certain déjeuner, alors que j'avais 21 ans et que je partageais mon appartement avec Mike Marks; il fut interrompu quand la vitre vola en éclat. Un message était attaché au caillou qui roula sur la table. Sur le papier, une courte phrase: «À la retraite!» Mike Marks ne se le fit pas dire deux fois. Ce qu'il ignorait, c'est que le message m'était adressé.

En 1958, lorsque Gracie prit sa retraite, j'aurais facilement pu en faire autant. La vie aurait sans doute été plus facile; les jours se seraient écoulés, paisibles, consacrés à la pêche ou au golf, mais je ne me suis jamais décidé. Aujourd'hui encore, on peut se demander ce qui me pousse à poursuivre ma carrière. Il me serait facile de tout abandonner. Pourquoi donner des concerts, tourner des films, participer à des émissions télévisées, faire des disques, jouer les *sex symbol* et sortir en compagnie de jolies filles? Je sais que je n'ai pas besoin de parler de tout cela. Je pourrais même ne pas me mêler d'écrire ce livre et me contenter de le lire (car quelqu'un se devrait de l'écrire, au moins pour combler une certaine lacune. Et pourquoi ne serait-ce à ce remplaçant dont nous avons parlé, qui avait affirmé que vous, cher retraité, n'aviez pas laissé de vide au bureau ou que personne ne vous regrettait?...)

J'ai un agent, Irving Fein, qui est dans la soixantaine. Il m'a trouvé suffisamment d'engagements pour me tenir occupé pendant cinq ans au moins. Dès que je murmure quelque chose qui ressemble au mot «retraite», il se met à pleurer. C'est un émotif. Je me souviens du jour où il a pleuré pendant deux heures parce que j'avais annulé un concert, un mercredi soir. Je n'avais jusqu'alors jamais pris conscience de son intérêt pour mon mieux-être. Dans ces conditions, je n'ai plus le choix. Ma conscience m'empêche de me retirer. J'attendrai donc, pour songer au repos, qu'Irving soit assez vieux pour prendre sa retraite.

Le drame de la retraite, c'est la perte qu'elle amène pour la société. Combien de talents sont ainsi relégués aux oubliettes, alors qu'à 65, 75 ou 80 ans, les hommes peuvent encore offrir le meilleur d'eux-mêmes?

George Bernard Shaw jouait encore à 93 ans.

Albert Schweitzer dirigeait un hôpital en Afrique, à l'âge de 89 ans.

Alexandre Graham Bell avait encore de brillantes idées à 74 ans. Il inventa le téléphone en 1875. Bien que la question soit discutée, je suis convaincu qu'il est le seul inventeur du téléphone. Ses premiers mots ont d'ailleurs été: «M'entends-tu, George?», ce qui prouve qu'il aurait inventé le téléphone plus tôt encore si la ligne n'avait pas été occupée.

Eamon de Valera était toujours président de l'Irlande à 91 ans.

Konrad Adenauer dirigeait pour sa part les destinées de l'Allemagne à 88 ans.

Michel-Ange, l'auteur des fresques de la chapelle Sixtine à Rome, tenait encore son pinceau à 88 ans. Dire que je n'en ai que 87! Il faudrait peut-être que je m'y mette. Qui sait si le rabbin Magnin ne me laisserait pas décorer les plafonds de son église?

On ne peut passer sous silence l'inoubliable Pablo Picasso. Il était au travail le jour de son quatre-vingt-douzième anniversaire. Il a réalisé quelques-uns des plus beaux nus du XXe siècle. Il peignait aussi assez bien tout habillé...

Je n'ai jamais compris l'art de Picasso. Je préfère les tableaux de Moses, cette célèbre grand-mère qui peignait encore à 100 ans. Je vous vois venir; vous attendez que je prétende être allé à l'école en compagnie de grand-mère Moses; mais non. En fait, je ne l'ai jamais rencontrée.

Tout le monde est d'accord pour dire que le plus grand inventeur de tous les temps s'appelle Thomas Edison. C'est à lui que nous devons l'éclairage électrique, le phonographe et le cinéma parlant. Il avait 84 ans lorsqu'il inventa le dictaphone et la polycopie. Il fut si actif que lorsqu'on décida de porter sa vie à l'écran, il fallut deux acteurs pour tenir son rôle: Mickey Rooney et Spencer Tracy. Quel homme! Il a plus de 1100 brevets à son actif. Au fond, je devrais peut-être m'y mettre aussi, puisque c'est moins dangereux que d'aller peindre des fresques au plafond des chapelles.

À 81 ans, Benjamin Franklin prit part à la rédaction de la Constitution américaine. Son cas est cependant assez spécial. Il avait bien besoin de vieillir, lui qui jouait encore avec des cerfs-volants à l'âge de 46 ans!

Adolph Zukor, à 91 ans, dirigeait toujours la compagnie Paramount Pictures. C'était un de mes bons amis. Gracie et moi avons tourné plus de douze films pour la Paramount. Il m'arrivait souvent de jouer au Rummy avec M. Zukor. Un jour, il frappa sur la table et annonça qu'il abattait son jeu avec 10 points. Je savais pourtant qu'il avait un 7 et un 4.

Je dis: «Avant de découvrir nos jeux, je voudrais vous demander quelque chose. Vous savez que Gracie et moi tournons un film en compagnie de Bing Crosby. Dans ce film, Crosby chante cinq chansons. Que pensez-vous de me confier l'interprétation de l'une d'elles?»

Sa réponse ne se fit pas attendre: «George, dit-il, Bing Crosby est notre vedette étoile et c'est lui qui chantera les cinq chansons.»

Changeant de sujet de conversation, je revins au jeu et dis: «M. Zukor, vous avez 11 points.»

Il répondit: «Il y a six ans que vous travaillez pour la Paramount, George. Aimez-vous cela?»

«Bien sûr!»

«Aimez-vous vivre à Hollywood?»

«Bien sûr!»

«Voudriez-vous retourner à New York?»

«Non, Monsieur.»

«Alors, conclut-il, dites-moi combien font sept et quatre?»

«7 et 4 font 10», dis-je décontenancé.

Et Bing Crosby chanta toutes les chansons du film. Gracie et moi n'avons jamais quitté Hollywood. Jamais non plus je n'ai osé gagner une partie de Rummy contre M. Zukor.

Mary Baker Eddy, à 89 ans, était à la tête de la Christian Science Church.

Coco Chanel dirigeait son entreprise de produits cosmétiques à 85 ans.

Trixie Hicks, qui la remplace, est toujours au poste à 82 ans.

W. Somerset Maugham écrivit *Points of View* à 84 ans.

Leon Tolstoï écrivit *Hadji Mourat* à 76 ans.

Winston Churchill écrivit *A History of the English-Speaking Peoples* à 82 ans.

George Burns a écrit *Living it up* à 80 ans, *The Third Time Around* à 84 ans et *How to Live to Be 100 — Or More* à 87 ans. (Si je fais de l'annonce pour les autres, pourquoi ne pas en faire pour moi-même?)

Je pourrais remplir des pages en donnant le nom de personnes qui ont accompli de grandes choses à un âge avancé. Mais coupons court et donnons un dernier exemple. La personne au monde qui a le plus exigeant de tous les postes a plus de 70 ans. Sa tâche consiste à mener à bien la destinée des États-Unis. Son nom: Ronald Reagan.

Pour en revenir à mes moutons, j'affirme une dernière fois, pour que cela soit bien clair, qu'il n'est pas question que je prenne ma retraite. On doit travailler tant que l'organisme veut bien répondre à nos demandes. Et quand on est limité physiquement, il est de la responsabilité de chacun de trouver une activité qui lui convienne et le tienne occupé. N'attendez pas que quelque chose se produise; provoquez-le. Soyez actifs!

N'oubliez pas que s'il est impossible d'empêcher la nature de suivre son cours et les années de s'ajouter aux années, cela ne signifie pas que l'on doive pour autant se laisser gagner par la vieillesse.

Ouvrez votre porte-monnaie et dites Ahhhh!

Si vous réussissez à vivre jusqu'à 100 ans — ou plus — vous devrez inévitablement faire affaire avec les disciples d'Hippocrate, représentants de l'un des plus vieux métiers du monde. Ne confondons pas. Les médecins ne pratiquent pas *le plus vieux* métier du monde, qui consiste en un autre genre de service. Les gens de ce dernier groupe n'ont aucun besoin d'aller à l'école pour apprendre leur métier. Il n'est pas question de stage pour eux. (En fait, si vous avez toujours la forme, vous pourriez même songer à vous recycler.)

Assez de facéties; entrons dans le vif du sujet. Le travail du médecin est l'un des plus honorables qui soient, et des plus lucratifs. On ne cherchera pas pourquoi tant de mères souhaitent que leur fille épouse un médecin. Ils réussissent bien dans la vie. S'ils gagnent un salaire comparable à celui des joueurs de basketball, ils n'ont pas à subir les contraintes de taille de ces derniers. La profession est ouverte à la fois aux grands et aux petits. Mais l'avantage principal des médecins reste qu'ils n'ont pas, eux, à payer de factures de médecins.

Lorsque j'étais enfant, notre médecin de famille était un vieil homme, petit de taille, qu'on ne voyait jamais sans sa trousse de cuir noir et qui portait un complet couleur sombre à fines rayures blanches. Son bureau était situé à même sa maison. L'infirmière, qui résidait chez lui en permanence, était une femme d'une laideur incroyable. Le vieux médecin faisait beaucoup de visites à domicile, sans doute pour fuir la compagnie de l'infirmière puisque du jour où il la remplaça par une jeune et jolie femme, il refusa de se déplacer.

Je n'oublierai jamais le docteur Stern. Quand l'un de nous était malade, maman appelait le médecin. Comme nous n'avions pas le téléphone, elle ouvrait la fenêtre et criait à pleins poumons. Madame Goldberg se chargeait de prendre les messages quand le docteur Stern était absent. Elle tenait une biscuiterie voisine de la maison du médecin. «Appelez plus tard», disait-elle.

Maman savait se débrouiller pour réduire le montant des factures du médecin. À l'époque, il en coûtait au bas mot 2,00 $ pour faire venir le médecin à la maison. Nos moyens ne nous permettaient pas une telle dépense. Maman réunissait donc les symptômes des douze enfants et prétendait, lorsque le docteur Stern nous rendait visite, que l'enfant à soigner les avait tous. Ce bon docteur réglait tous les maux et problèmes de la famille en même temps pour le prix d'un patient et ce, sans le savoir.

Une fois la visite terminée, c'était la distribution des médicaments. Chacun avait droit à celui qui lui revenait, selon les symptômes qui étaient siens. Le système fut parfaitement efficace pendant douze ans. Puis mes soeurs devenues adolescentes se mirent à avoir des maux tout à fait originaux. Quand ma mère prétendit que Sammy avait les mêmes symptômes, le médecin devint incrédule. Sammy n'était au courant de rien. Il s'inquiétait cependant du fait qu'il ne parvenait pas à conquérir le coeur des belles du voisinage qui faisaient tout pour l'éviter. Ma mère attendit qu'il ait 28 ans pour lui faire les confidences qui s'imposaient. Sammy vint alors me voir et me demanda de mettre toutes les filles au courant. Je fis tel que demandé. Pourtant, cela ne changea rien à rien.

Bien que l'on croit que de telles choses ne se produisent jamais, le docteur Stern épousa à 81 ans sa jolie infirmière de 24 ans. Ils auraient longtemps vécu heureux si le vieux médecin n'était pas mort pendant le voyage de noces.

Dans notre quartier, les gens étaient si pauvres qu'ils ne pouvaient guère se payer plus d'une fièvre toutes les lunes. Et encore, c'est parce que la fièvre se soignait par le jeûne. Pas question d'avoir un rhume donc, alors qu'il fallait manger double pour prendre des forces. Comme l'assurance maladie n'existait pas, il fallait débourser les 2 $ que réclamait le médecin, ce que peu de budgets permettaient. Le docteur Stern était heureusement un homme charitable. Il avait annoncé à M. Klein qu'il lui restait six mois à vivre. Il était si pauvre qu'il ne pouvait lui payer le montant dû pour les visites rendues à la maison; le médecin lui donna alors, dans un incomparable élan de générosité, six autres mois à vivre. Au fait, curieusement, M. Klein vécut beaucoup plus longtemps que le docteur Stern et c'est lui qui épousa la jeune infirmière, veuve après quelques jours de mariage. Cela ne fit pas l'affaire de mon frère Sammy, la jeune femme étant la seule personne qui était sortie avec lui. Les gens du quartier étaient pauvres, mais cela ne les empêchait nullement d'être actifs malgré tout.

À cette époque, c'est difficile à croire, les malades n'étaient pas soignés dans des hôpitaux. Il en coûtait de six à huit dollars par jour pour une chambre simple, ce que personne ne pouvait se payer. Si l'on ajoute à cela le prix des médicaments et des rayons X, la facture dépassait les quinze dollars par jour. Une journée d'hôpital coûtait donc aussi cher que la traversée de l'Atlantique.

Sans compter que les séjours à l'hôpital n'étaient pas de tout repos. Toutes les institutions affichaient clairement à l'entrée: «ENTREZ À VOS PROPRES RISQUES». (J'affabule un petit peu, puisque tout cela n'est guère plus authentique que ce que j'ai raconté sur mon frère Sammy. De toute façon, je n'en suis pas à un mensonge près!)

Enfant, je n'ai jamais mis les pieds dans un hôpital. Si l'un de nous était malade, maman commençait par le soigner avec sa soupe au poulet. C'était dix fois meilleur qu'un médicament et au moins aussi efficace. Cependant, cela ne réglait pas tous les problèmes. Quand on se cassait un bras, la soupe au poulet devenait du bouillon de boeuf. Il en était ainsi depuis le jour où ma mère avait donné de la soupe au poulet à une voisine qui était gravement malade. Comme elle ne prenait pas rapidement du mieux, maman avait décidé de lui servir de la soupe aux légumes.

Les médecins procèdent de nos jours de façon sensiblement différente. Ils sont tous spécialistes en quelque chose. Leurs connaissances se limitent à un groupe précis de maladies. La concurrence est telle par ailleurs chez les finissants des universités, qu'il arrive que certains futurs médecins doivent attendre qu'on découvre de nouvelles maladies pour pratiquer.

De nos jours, si vous allez chez votre médecin, on vous ausculte puis on vous réfère à un spécialiste. Une fois chez le spécialiste, vous subissez un nouvel examen avait d'être référé à un autre spécialiste. Lors de cette troisième visite, il n'y a même pas d'examen. Il s'agit cette fois d'un spécialiste qui s'occupe d'envoyer les gens chez des spécialistes. À chacun sa spécialité, au fond. Sur sa porte, vous noterez qu'il n'y a pas de nom. La traditionnelle affiche est remplacée par une flèche. Ne riez pas. Chacun a bien le droit de gagner sa vie comme il l'entend. Je pense à ces pauvres petits qui doivent faire le plein de leurs Jaguar, Mercedes et autres bolides. Ce n'est tout de même pas leur faute si les spécialistes des oreilles reçoivent plus de patients et ont plus d'argent que les médecins qui s'occupent du corps tout entier. En fin de compte, plus j'y pense, plus je suis en faveur de la spécialisation à outrance. Je ne voudrais pas, en allant chez mon médecin pour un bras cassé, en ressortir avec les amygdales en moins. Quel bonheur, si l'on meurt sur la table d'opération, de savoir que celui qui nous a envoyé dans l'autre monde savait au moins ce qu'il faisait!

Le mercredi est jour de congé pour les médecins; c'est sans doute là une loi internationale. Les terrains de golf de par le monde sont alors infestés de spécialistes en vacances pour toute une journée. Soyez en santé le mercredi, à moins que vous ne soyez prêts à mourir sur un terrain de golf. Si vous vous sentez mal, faites en sorte que la crise se produise le lundi ou le mardi. De la même façon, évitez à tout prix d'attendre le jeudi pour consulter votre médecin. S'il a connu peu de succès au golf la veille, vous doublez les risques. Le vendredi est un autre mauvais jour, la veille d'une fin de semaine de congé. À bien y songer, le lundi ne vaut guère mieux. C'est le jour qui suit immédiatement la fin de semaine. On n'a donc plus le choix: c'est le mardi qu'il faut être malade. Attention cependant. Les bureaux de médecins n'ouvrent qu'à dix heures et leurs services sont difficiles à obtenir après cinq heures de l'après-midi. Essayez de collaborer un peu, voyons!

Beaucoup de mes amis sont médecins. Ce sont des gens qui me plaisent bien car ils ont le sens du sacrifice. Le plus attachant de tous, néanmoins, n'est pas médecin. Il s'agit de Danny Kaye. Tout le monde l'ignore, mais Danny a toujours voulu être médecin. Tout jeune, il n'avait qu'une idée en tête: devenir un grand chirurgien. Ses parents ont tant ri quand il leur a annoncé la nouvelle qu'il a préféré le métier de comédien. Cela ne l'a pas empêché d'être fasciné par la médecine. Quand on lui parle de se payer une pinte de bon sang il ne songe pas à quelque spectacle drôle; il parle plutôt d'aller passer une journée à la clinique Mayo où opèrent quelques-uns des chirurgiens les plus réputés du pays. Vous ne me croyez pas? Un jour, Danny m'a demandé de l'accompagner. «Tu verras, dit-il, c'est formidable. Tu assisteras à une ou deux transplantations cardiaques, à une greffe du rein, à une résection intestinale, etc.» J'ai refusé, malgré tout l'attrait qu'un tel programme pouvait avoir. Ma seule excuse: le manque d'intérêt.

Cela me rappelle la réception que Danny et Sylvia ont donnée il y a quelques années. Il y avait au moins quarante invités parmi lesquels se trouvait un médecin réputé. Au beau milieu de la soirée, le spécialiste en vint à parler d'une épidémie de grippe et conseilla à tous les invités de se faire vacciner. Danny réagit rapidement. Il demanda au médecin d'aller chercher sa trousse et de préparer un nombre suffisant de vaccins. Nous avons tous roulé nos manches et nous sommes mis en file. C'est Danny qui faisait les injections. Je ne doute pas qu'il ait bien fait son travail, mais cela ne m'a pas empêcher d'attraper la grippe. Je lui téléphonai donc le lendemain matin, pour le mettre au courant et lui demander conseil. «C'est aujourd'hui mercredi», répondit-il avant de raccrocher.

Soyons honnête! En toute justice, il faut apporter quelques précisions concernant Danny Kaye. Je reconnais en lui un grand comédien et j'avoue que s'il est question de mets chinois, on ne peut trouver meilleur cuisinier. Sylvia prétend que les nouilles sont à tout coup cuites à la perfection. Il est vrai que j'attends encore le jour où j'aurai à me plaindre de la cuisine de Danny. En ce qui concerne les mets chinois, il est vraiment dans une classe à part. Et venant de moi, cela est tout un compliment. Je suis connaisseur... au point même que j'arrive à manger le riz avec une seule baguette.

Puisque j'en suis aux mets chinois, parlons un peu de mon opération. À mon âge, on n'a pas à s'en faire avec les problèmes de transition. J'avais 78 ans quand on m'a fait trois pontages. En vérité, ils n'étaient pas nécessaires mais Irving Fein, mon agent, a décroché une si belle occasion que je n'ai pas pu refuser.

Irving Fein et son client.

Les négociations avaient été difficiles. Mon médecin prétendait que j'avais des problèmes cardiaques. «Un instant!», avait tranché Irving; «Qu'est-ce qui prouve que ce n'est pas une simple indigestion et que tous les problèmes ne disparaîtront pas d'ici quelques jours?» La réponse ne se fit pas attendre: «Si l'on n'opère pas George, c'est lui qui disparaîtra d'ici quelques jours.» Le compte était de un à zéro pour le médecin.

D'après les spécialistes, je devais passer une ou deux semaines à l'hôpital. Cela ne m'intéressait pas de rester si longtemps inactif. Ceux qui ont déjà chanté dans une chambre d'hôpital me comprennent: l'acoustique est très mauvaise. Irving signa donc pour un engagement de trois jours, avec possibilité de renouvellement.

Le médecin avait conseillé de prendre une chambre privée mais Irving préféra se satisfaire d'une chambre semi-privée. J'étais tout à fait d'accord avec son choix: un compagnon de chambre allait m'être utile pour mettre de nouvelles blagues à l'essai.

On vint enfin à bout de s'entendre. J'étais satisfait du travail d'Irving. Dans l'ensemble, l'affaire était bonne. J'ai même eu droit à un tarif spécial, réservé aux opérations d'urgence.

Enfin, l'opération fut un succès. Les spectateurs étaient assez nombreux car la salle d'opération donnait sur un balcon d'observation. Une fois le troisième pontage terminé, le chirurgien eut droit à une ovation. Il s'en fallut de peu qu'il ne décide de donner un rappel et de procéder à un quatrième pontage. C'est Danny Kaye, qui étant heureusement présent, l'en dissuada.

Je préfère ne pas vous donner le montant total de la facture. Pour vous permettre de vous faire une idée, je vais cependant préciser qu'un de mes amis, qui a passé deux jours à l'hôpital, dut payer 2600 $. Le plus curieux, c'est qu'il n'était venu que pour me rendre visite!

Mes admirateurs me reprocheront de parler de mon opération, alors qu'ils avaient tout appris sur le sujet en lisant mon livre précédent. Je considère pour ma part que j'ai bien le droit de parler de ce qui me plaît, d'autant plus que le présent livre est différent d'un bout à l'autre. Il y a d'ailleurs une chose que j'ai oublié de préciser, c'est qu'Irving, alors que je subissais mon opération, faisait le tour du balcon d'observation en vendant des copies autographiées de mon dernier album.

Sur ce, j'en ai assez dit. Revenons aux choses sérieuses. Il y a tant de commentaires utiles, de réflexion nécessaire à faire sur la médecine et ses représentants. Comme je ne connais personne de suffisamment compétent, je me sens obligé de remplir une sérieuse lacune.

Quand on parle des médecins, on oublie qu'il y a au départ, un choix à effectuer. Il s'agit de savoir si l'on aura, ou l'on refusera d'avoir un médecin. Bien des gens se demandent s'ils ont vraiment besoin d'un spécialiste, surtout s'ils ne sont jamais malades. L'ennui, c'est qu'il ne faut pas attendre d'être malade pour choisir un médecin si l'on veut se tirer d'affaire sans trop de risques. Prenez donc une décision rapide. Et si vous préférez bouder les médecins, arrangez-vous pour n'être jamais malade. Allons! Soyez raisonnable. Faites preuve de bon sens. On ne peut quand même pas prendre les décisions à votre place. Choisissez un spécialiste qui connaît vos antécédents médicaux et votre petite histoire. Notez aussi les numéros de téléphone des hôpitaux et des cliniques les plus proches, ce qui sera utile en cas d'urgence. Assurez-vous enfin qu'il y a moyen de vous faire livrer quelques bonnes bouteilles (certains dépanneurs ne comptent pas de frais supplémentaires pour la livraison), pour parer à toute éventualité. Vous pourriez en effet être appelé à passer quelques jours au lit.

Il est important de trouver le spécialiste qu'il vous faut, encore que cela ne soit pas chose facile. Il vous faudra faire preuve d'une extrême patience. Prenez d'abord l'avis de vos amis. Écoutez ceux qui sont encore vivants. Parlez-en autour de vous. Certaines gens se refuseront à donner le nom d'un médecin; ne négligez pas pour autant leurs conseils. Vous obtiendrez peut-être, au bout du compte, l'adresse d'un bon restaurant ou d'un cordonnier hors pair. Voilà qui prouve qu'une demande n'est jamais perdue. En y pensant bien d'ailleurs, je crois que le nom de mon médecin m'avait été donné par le cordonnier du coin.

Dès que vous avez un nom, n'hésitez plus. Rendez une première visite à votre futur médecin. Accordez une attention toute spéciale aux meubles et au décor. Les rayons de la bibliothèque comprennent-ils au moins quelques ouvrages médicaux (ceux-ci ne seront peut-être pas visibles, étant cachés par des traités économiques de toutes sortes)? Y a-t-il un aquarium où nagent paresseusement de magnifiques poissons tropicaux acquis à gros prix?

Portez le même regard critique sur la personne du spécialiste. A-t-il l'air d'un homme en santé? Sait-il ce qu'il fait? Semble-t-il être une petite nature?

Accordez ensuite votre attention aux patients assis sagement dans la salle d'attente. Ont-ils l'air de gens en parfaite santé? Engagez la conversation si possible. Demandez-leur ce qu'ils pensent de leur médecin. Si vous en avez la chance, sortez une ou deux fois avec l'épouse du médecin. Elle saura vous faire d'intéressantes confidences. Vérifiez si vous avez choisi un spécialiste qui se déplace sur demande pour des visites à domicile. Si oui, envoyez-moi son nom. Sachez enfin si vous pouvez payer avec les cartes de crédit les plus populaires, si le médecin offre des verres en prime, des réductions en fonction du nombre de visites, etc. N'oubliez pas cependant le plus important de tout: le stationnement.

Il est nécessaire de décider, au départ, si l'on veut un médecin plus âgé ou plus jeune que soi. Les jeunes diplômés sont plus énergiques que leurs confrères plus âgés; ils sont au courant des dernières découvertes de la science. Les médecins de la vieille école n'ont nul besoin de se tenir au courant des derniers développements de la médecine; leurs vieux trucs marchent toujours aussi bien. Ils savent que quatre-vingt-dix pour cent de tous les maux sont imaginaires. Pour ma part, ces «vieux» me plaisent plus que les jeunes. Quand je réussis à trouver un spécialiste qui me plaît, je lui demande le nom de *son* médecin... s'il n'est pas mort. Je vais ensuite le voir et lui pose la même question, jusqu'à ce qu'un jour, je trouve enfin un spécialiste qui ait au moins mon âge. Celui-là pourra compter sur ma fidélité.

*L'auteur souhaitait que son médecin se joigne à lui
pour la photo... mais c'était mercredi.*

153

Il vous faut aussi savoir si vous préférez les hommes aux femmes ou vice versa (question de choisir un médecin j'entends). C'est un détail dont je ne me formalise pas puisque je considère que la compétence est indubitablement égale. Cela ne me gêne pas non plus de retirer mes vêtements devant une femme. La seule chose qui m'ennuie, c'est de devoir la payer pour le faire. C'est là que le bât blesse.

Une fois que votre choix est arrêté, n'oubliez pas une dernière chose: quels que soient l'opinion et les conseils du médecin, la décision à prendre reste vôtre. Il y a vingt ans, un médecin m'a mis en garde contre les excès auxquels, selon lui, je me livrais. Il me conseilla de cesser de fumer le cigare, de ne plus boire de martini et de songer à autre chose qu'aux jolies femmes. Il prétendait que cela allait me permettre de vivre plus longtemps. Quelle importance? Il voulait me faire éliminer tout ce qui pouvait réduire mon espérance de vie. Alors j'ai laissé tomber mon médecin. C'était sans doute le moyen le plus sûr de vivre vingt ans de plus. Mon médecin actuel a un an de différence avec Danny Kaye et c'est très bien ainsi.

Fuyez les enterrements,
le vôtre en particulier.

J'ai des amis dont le premier souci au lever, le matin, est de lire la rubrique nécrologique. Si leur nom ne figure pas dans les liste des trépassés récents, ils passent au déjeuner. Quelle idée! Je ne lis jamais ce genre de littérature. Et s'il fallait qu'un beau matin, mon nom figure au milieu de ceux des disparus de la veille, je prendrais malgré tout le temps de déjeuner. Il n'est pas question pour moi de mourir l'estomac vide.

Je n'arrive pas à comprendre qu'on attache une telle importance aux colonnes nécrologiques des journaux. Il y a une de mes voisines — que je ne nommerai pas — qui ignore tout de ce qui se passe dans le monde mais connaît par coeur les noms de ceux qui l'ont quittée. Elle sait qui est mort ce matin, les causes de son décès, l'heure de sa mort, la date et le lieu des funérailles, s'il faut envoyer des fleurs ou des dons, etc. Elle a une garde robe unie; tout y est noir, couleur qui va bien d'ailleurs avec le rouge de ses yeux, tant elle pleure les disparus du jour. Les semaines sans funérailles la rendent triste.

L'auteur en train de lire la chronique nécrologique afin de savoir si la partie de bridge tient toujours.

Il m'arrive d'aller à des funérailles, ce que je fais par respect pour certains disparus. Je ne dirai quand même pas que c'est là mon passe-temps préféré. De fait, ces files de voitures qui, en procession, passent au feu rouge sans arrêter me donnent froid dans le dos. De plus, le noir n'est pas, de loin, ma couleur préférée, je suis allergique aux oeillets et je déteste l'orgue. S'il n'en tenait qu'à moi, je le remplacerais par la guitare.

Les funérailles se comparent en somme à de mauvais films. Elles traînent en longueur, les acteurs mettent trop d'emphase dans leur jeu et l'on connaît infailliblement la fin de l'histoire. Ce qui est encore plus curieux, c'est que ceux qui assistent à des funérailles se sentent obligés d'être mal vêtus. Tout de noir habillés, ils font piètre figure si on les compare au mort à qui, naturellement, on a donné les plus beaux habits. C'est immanquablement ce dernier qui est le seul à avoir une certaine allure, alors que tout le monde a l'air pathétique.

Je dois dire qu'il y a des funérailles réussies. Les fleurs, la musique, l'éloge funèbre, tout assure le succès de la cérémonie. Il y a même des fois où l'éloge est si élogieuse qu'on a peine à reconnaître le défunt. Aux dernières funérailles auxquelles j'ai assisté, je me trouvais par hasard assis aux côtés de la veuve et dc son jeune fils. Le prêtre fit une émouvante éloge funèbre. Il parla de la générosité du défunt, de sa largesse d'esprit, de son attachement à sa famille, de son courage, etc. Les compliments se suivaient en cascade. En fin de compte, la veuve se pencha vers son fils et lui dit: «Va donc voir dans le cercueil si c'est bien ton père qui y est couché.»

S'il y a un roi des lecteurs d'éloges funèbres, c'est Georgie Jessel. Personne n'a jamais pu soulever une audience avec autant d'art. Il savait tirer toutes les larmes de ses auditeurs, leur mettre le coeur à l'envers. Il préférait sincèrement donner un spectacle au cimetière qu'au Palladium de Londres.

Aux funérailles d'Al Jolson, Georgie pensait bien qu'on allait lui demander de lire l'éloge funèbre. Mais les heures passaient et il n'avait toujours pas de nouvelles. Il finit par s'inquiéter et téléphona à son agent qui lui répondit: «C'est triste, Georgie, mais il faut bien que tu te rendes à l'évidence, ce n'est pas toi qui lira l'éloge funèbre.»

Georgie entra dans une colère monstre. «Voilà des heures que je répète l'éloge d'Al et j'en connais par coeur les moindres détails. Personne ne saurait être aussi convainquant que moi.» Il était si fâché qu'il alla trouver madame Jolson et lui dit: «Écoutez, je connaissais Al depuis ma plus tendre enfance. Y a-t-il une seule raison valable pour que l'honneur de l'éloge soit réservé à quelqu'un d'autre? Est-ce moi qui lirai l'éloge, oui ou non?» Comme elle donnait des signes d'hésitation, Georgie ajouta: «Si vous ne me laissez pas faire l'éloge d'Al, je ne lui parlerai plus de ma vie!» Ce fut donc lui qui eut la préférence. Il s'acquitta de sa tâche de merveilleuse façon.

Le lendemain, j'ai rencontré Georgie au club et lui fis mes compliments pour son travail de la veille. «Tout le monde pleurait à chaudes larmes», dis-je. «Si l'éloge t'a plu, répondit-il, tu as manqué quelque chose car c'était dix fois mieux au cimetière.»

Il y a quelques années, Sam Bernard, qui avait connu des beaux jours à Broadway, mourut de sa belle mort. C'est évidemment Georgie qui lut l'éloge funèbre. Il avait toujours nourri une amitié profonde pour Sam, ce qui explique qu'il se surpassa ce jour-là à l'église. Cinq jours plus tard, lors d'une rencontre fortuite, je vis Georgie vêtu de son éternel complet rayé. Il avait un autre enterrement en vue. Il expliqua à ma demande qu'il allait faire l'éloge de Jim Barry. Je ne pus cacher mon étonnement: «Tu m'as dit, Georgie, il y a moins d'une semaine, que tu détestais Jim Barry! Comment pourras-tu trouver la moindre gentillesse à dire sur son compte?», demandai-je. «Je le sais bien, dit-il, mais il me reste quelques bonne phrases que je réservais à Sam. Ça pourra donc servir pour Jim.»

Voici une histoire que Georgie prenait plaisir à raconter. Je n'ai jamais cru qu'elle était vraie, bien qu'il m'ait maintes fois juré que c'était la stricte vérité. Cela s'est passé aux funérailles de Joe Harris, un danseur étoile de New York. Il y avait foule et tous les danseurs de Broadway semblaient s'être donnés rendez-vous. Georgie raconte: «C'était une de mes plus belles performances et tout allait bien quand, à quelques lignes de la fin, j'eus le choc de ma vie: Joe Harris, dont le cercueil encore ouvert reposait au beau milieu de la salle, s'assit et nous regarda tous d'un air étonné.»

«Qu'as-tu fait?», fut la question qui me vint à l'esprit.

Et la réponse fut aussi bête: «Que voulais-tu que je fasse? Je me mis à fredonner l'air de la danse macabre!»

Ce n'est pas par hasard que Georgie avait un tel succès aux enterrements. Il préparait les éloges funèbres longtemps à l'avance. Je sais que dans mon cas, cela faisait plus de dix ans que le texte était composé. Chaque fois que je le rencontrais, Georgie me demandait: «Comment te sens-tu?» Cela me faisait de la peine de devoir lui avouer que j'étais en pleine forme. Lorsqu'il fut question pour moi de passer au bistouri, il me téléphona plusieurs fois à l'hôpital: «Je prie pour toi», disait-il. En fait, je n'ai jamais su exactement pour *quoi* il priait.

Chaque fois que nous nous retrouvions ensemble au club, Georgie me demandait de critiquer quelques nouvelles lignes de mon éloge funèbre. Un jour, alors que j'attendais le repas en toute tranquillité, attablé à l'ombre d'un grand arbre, il vint vers moi et dit: «George, tu vas adorer ça!»

«Je sais, dis-je, puisque c'est moi qui ai choisi mon menu.»

«Mais non, coupa-t-il. Ce que j'ai à te lire, tu vas adorer ça.» Et il commença: «Personne n'oubliera le grand homme qu'il a été, le phare qui guide les vaisseaux perdus dans la tempête, celui dont les pensées étincelaient de concetti, l'homme...»

«Georgie, fis-je. Je ne sais pas de quoi tu parles... Ces *concetti*... je n'aime pas ça. Je n'en veux pas à mes funérailles.»

Ce à quoi il répondit: «Qu'est-ce que ça peut te faire, puisque tu n'entendras rien?»

Deux jours plus tard, le téléphone sonna alors que j'étais sous la douche. C'était Georgie. «Tu as raison, George, annonça-t-il. J'ai retiré les *concetti* de ton éloge funèbre.» C'était un bonne nouvelle. En fait, je n'avais jamais été aussi heureux d'interrompre une douche.

162

Une autre fois, l'histoire se répéta au beau milieu d'une partie de bridge. «Écoute bien, George», dit-il.

Je protestai. Georgie était assommant et je n'avais pas le temps d'entendre ses sornettes, alors que l'issue de la partie était en jeu.

«Je m'en fiche, répondit-il. Ta partie peut attendre.» Et sur ce, il commença: «Ne nous méprenons pas. Son ton bourru et son apparente retenue n'empêchent pas que beaucoup le regretteront, comme cet orphelin de cinq ans pour qui il reste le champion des champions!»

C'était incroyable. Georgie me répétait, au mot près, l'éloge qu'il avait lue quelques mois plus tôt aux funérailles de Wallace Beery.

«Je sais, s'excusa-t-il. Mais rien ne m'empêche de reprendre les bonnes idées. D'ailleurs, *concetti* est de retour dans ton éloge.» J'étais bouleversé, au point de perdre la partie de bridge.

Il en fut ainsi pendant des années. Je n'oublierai pas le jour où j'aperçus Georgie bien installé à la table ronde du club. Je fis demi-tour sans la moindre hésitation pour l'éviter, espérant qu'il ne m'ait pas vu. Cela ne m'intéressait pas d'entendre quelque nouvelle ligne de mon éloge funèbre. Mais Georgie fut plus rapide que moi. Je venais de m'asseoir dans la voiture et allais partir quand il sauta à l'intérieur et dit d'un souffle: «George, j'ai écrit la plus belle éloge de ma carrière. Si tu n'avais pas été mon ami pendant soixante ans, je ne la gaspillerais pas pour ton enterrement.»

«Je savais que je pouvais compter sur toi», lui dis-je.

«Écoute bien: L'homme qui gît ici devant nous, mélange raffiné des qualités les plus remarquables, ambroisie de nos vies dont la perte inestimable...»

«Assez!, coupai-je. Je suis un homme simple, Georgie, et je n'ai pas besoin de toutes ces fleurs. Donne-moi des mots sans prétention, qui disent ce qu'ils ont à dire, un point c'est tout.»

Il sortit fâché de la voiture et claqua la porte en criant: «Pour quelqu'un qui n'écoutera même pas, je te trouve bien exigeant.» Comme je voulais l'ignorer, je démarrai sans attendre. Il ajouta alors: «Et conduis prudemment. Je n'ai pas encore fini ton éloge funèbre!» Pauvre Georgie! Il n'en eut jamais le temps. On lui a lu la sienne depuis ce temps-là.

Vous auriez raison de m'accuser d'avoir traité assez légèrement un sujet qui est passablement sérieux. Pourtant, je ne veux laisser personne sur une fausse impression. Je n'ai rien contre les funérailles et je tiens à garder mes amis. J'ai déjà donné un spectacle à un congrès de représentants en pompe funèbre et j'ai trouvé ces gens-là tout à fait bons vivants. (En fait, c'est compréhensible, puisque dans leur métier, il y a peu de place pour le rire.)

Néanmoins, j'ai quand même dit certaines choses intéressantes dans le chapitre qui se termine ici. Le départ des parents, des amis et des connaissances est une expérience que chacun d'entre nous est appelé à vivre maintes fois dans sa vie. Et les funérailles font partie du cérémonial qui marque le passage d'un monde à l'autre. Comme en toute chose, c'est l'excès qui est condamnable. Je n'ai jamais cru que les funérailles devaient être un test de popularité. Pourtant, les gens disent: «As-tu vu la foule qui se pressait aux funérailles de Charlie? L'église était tout juste assez grande. Il y avait au moins mille personnes!» C'est à se demander s'il restait de la place pour le pauvre Charlie. S'il s'était su si populaire, il ne serait pas mort tout de suite.

Il y a beaucoup de détails du genre qui me chagrinent. Mais il m'arrive de changer d'avis, ce qui est bien en soi. En fait, je viens tout juste de changer une nouvelle fois d'avis en ce qui concerne les *concetti*. Mais il est trop tard.

*Il n'y a, selon moi
rien de plus important
qu'une attitude positive*

J'ai choisi le titre du présent chapitre sans me soucier de son contenu. Il me plaît bien. Mais me voilà coincé puisqu'il va falloir parler d'attitude. Il n'y a pas grand chose à dire sur le sujet. En réalité, je voulais parler des secrets de la longévité, mais je n'ai pas su trouver de titre convenable. C'est pourquoi j'ai préféré garder celui sur l'attitude. Ce qui m'ennuie, c'est que j'ai beaucoup de secrets à confier, que je ne dirai jamais parce que je dois écrire un chapitre sur l'attitude. Si vous avez bien compris malgré mes explications, le chapitre qui vient ne sera pas rose. Peu importe, le voici.

Pour vivre jusqu'à 100 ans — ou plus, il faut donc avoir une attitude positive. Mon âge est une preuve indéniable de mon succès quant à l'attitude à prendre. J'ai vécu 87 ans sans m'en faire et je ne vois pas pourquoi la vie changerait. J'ai passé la moitié de ma vie avec une attitude positive et je n'ai pas l'intention de changer pour l'autre moitié. De toute façon, c'est en m'incrustant et en m'attachant à la vie que je pourrai vérifier ce que j'avance.

Parlons un peu de George (pas moi, mais l'*autre*). G. Washington, puisque c'est de lui qu'il s'agit, n'a jamais perdu le moral. Alors que ses troupes mouraient de froid en Pennsylvanie, il dit à ses hommes: «Ce pourrait être pire. Nous pourrions mourir de froid au New Jersey.» Grâce à son attitude positive, Washington vainquit les Britanniques, devint le premier président des États-Unis et l'un des plus grands Américains qui aient jamais vécu. Cela ne doit pas pour autant vous faire oublier l'autre George. Il savait mener les hommes et suivre les femmes. (Voilà une phrase qui demande quelques explications mais je ne sais quoi ajouter. Nous verrons un peu plus loin...)

Il y a aussi eu Ponce de Leon, celui qui parcourut la Floride en long et en large à la recherche de la fontaine de Jouvence. Tout le monde lui répétait qu'il perdait son temps mais il ne voulait rien entendre. Il eut une attitude positive jusqu'à sa mort, qui survint alors qu'il avait 26 ans. (Je n'ai jamais vraiment compris l'histoire de Ponce de Leon.)

Il y a des gens qui ne se découragent pas, quelle que soit la situation dans laquelle ils se trouvent. Le général Custer ne s'est jamais fait de mauvais sang. Il avait une attitude positive quand, à la tête de ses troupes, il se retrouva entouré d'Indiens hostiles. En a-t-il pour autant perdu ses cheveux? On ne le saura jamais puisqu'on n'a pas retrouvé son scalp.

Le plus bel exemple d'attitude positive est, selon moi, celui de David qui osa affronter le géant Goliath. Tout le monde le croyait fou. Goliath était si grand qu'il allait tailler le prétentieux en pièces. Le géant devait l'emporter à 100 contre 1 et la mère même de David prit pari contre son fils. Pourtant, cela ne l'affecta nullement car il avait plus d'un tour dans son sac. En fait, il avait un lance-pierre dans ce fameux sac. C'est ce qui lui permit de remporter la victoire, à la suite de laquelle sa mère ne lui adressa pas la parole pendant plus d'une semaine. Je suis convaincu que David ne pouvait pas perdre car il avait une attitude positive. Ce qui est curieux au fait, c'est que Goliath avait une attitude tout aussi positive. Et pourtant, il a été vaincu. Oups! J'aurais dû y penser plus tôt car cela m'oblige à revoir toute ma théorie sur l'attitude positive.

Ce qui est certain toutefois, c'est qu'il n'est pas mauvais d'adopter une attitude positive. Même quand vous êtes sûr de perdre, voyez les choses du bon côté. L'échec sera alors positif et l'expérience en vaudra la peine.

Une autre attitude qui me plaît bien est celle des gens qui savent rester jeunes. En prenant de l'âge, on se sent généralement obligé de s'entourer de personnes qui ont les mêmes soucis, les mêmes maux et les mêmes ennuis. Plus on vieillit, plus l'entourage vieillit avec nous. Si cela peut être amusant, il n'est certes pas mauvais de garder le contact avec les jeunes. J'aime la compagnie des gens de 20 ans. Ils ont des idées neuves et elles finissent pas déteindre sur les miennes... à moins que ce ne soit les miennes qui déteignent sur les leurs, à condition bien sûr que j'arrive à émettre quelque chose d'intelligible.

Certaines personnes se sentent déprimées quand elles ont affaire à des individus beaucoup plus jeunes qu'elles. Elles poussent souvent trop loin la comparaison et regrettent leurs jeunes années. Ce n'est pas

La mauvaise attitude.

La bonne attitude.

mon cas. Quand je suis entouré de jeunes gens, je me compare à eux et cela me permet de constater que je suis encore passablement vert. Je ne cache pas qu'il y a néanmoins quelques plaisirs de la vie qui leur sont encore permis, tandis que moi... Bon! Disons qu'à ce moment-là, je remplace la quantité par la qualité.

L'idée directrice d'une telle attitude est de rester jeune de corps et d'esprit. Tant que je me sentirai jeune, j'agirai en jeune et je serai réellement l'un des leurs.

Qu'on ne croit pas pour autant que je déteste la compagnie des gens de mon âge. On se doute bien que mes meilleurs amis, ceux qui ont partagé les années de ma vie, comptent à peu de choses près autant de printemps que moi. Ce que je n'ai pas précisé, c'est que lorsque je dis que j'ai l'esprit jeune, je ne prétends pas *être* jeune. Je ne me fais pas d'idée, je n'ai plus 18 ou 20 ans. Je ne porte pas de jeans collés aux cuisses et si cela m'arrivait, ce serait pour d'autres raisons. Je ne fais pas non plus de planche à voile. Je ne suis pas de ceux qui font de l'oeil au beau sexe en se baladant sur Hollywood Boulevard tous les vendredis soirs. Je serais plus porté vers les balades en mer à bord du *S.S. Leviathan*, soit dit en passant. Il ne sert à rien de se raconter des histoires. Quoi que je fasse, j'ai des cheveux blancs. Et les teindre ne changerait rien à la réalité.

Quand je parle de la jeunesse d'esprit, je fais en fait référence à l'enthousiasme, à la vie active des gens de 20 ans, aux projets en tous genres, aux lendemains qui ont un sens; ne me parlez pas des gens qui ne vivent qu'au passé. Ce qui me reste à vivre, c'est le futur. Il y a trop de mes amis qui ont décidé de leur propre chef que leur vie était finie et qu'ils avaient vieilli. Laissons faire la nature. Si l'on se croit vieux, on ne vaut guère mieux que l'image que l'on a de soi. Que ceux qui attendent la mort sans broncher n'avancent qu'à petit pas; il leur faudra ainsi plus de temps pour se rendre au bout du rouleau.

Je suis triste quand je songe à tous ceux qui s'enferment dans leur passé. Il est vrai que le coût de la vie il y a quelques années ne se compare pas à ce que nous connaissons aujourd'hui; il y avait, hier, bien des avantages que nous avons aujourd'hui perdus. Ce qu'ils oublient, c'est que leurs souvenirs, quoi qu'ils en pensent, font partie du passé et qu'ils n'y peuvent plus rien. Personne ne conduit en regardant exclusivement dans son rétroviseur. Le présent, comme le futur, est le temps où naissent les souvenirs de demain.

Je ne vis pas avec mon passé; je vis avec ma bonne, à Beverly Hill. Je suis convaincu que c'est mille fois plus agréable. Aussi étrange que cela paraisse, j'affirme ne jamais me plonger dans les souvenirs. Je n'ai pas d'album photo que je parcours avec nostalgie, les larmes aux yeux. Il y a d'ailleurs tellement de choses qui ne valent pas la peine d'être vécues deux fois! Je refuse de la même façon de revoir mes anciens films. En y pensant bien, il est tellement plus intéressant de tomber en amour avec ce qui nous entoure, ce qui est présent, ce qui occupe les heures de nos journées. J'ai été en amour avec ce que j'ai fait tout au long de ma vie, mais je suis volage. Le grand amour ne durait jamais plus que nécessaire.

Plus les gens vieillissent, plus ils craignent d'apporter des changements dans leur vie. Il faut reconnaître qu'il est sécurisant et facile de prôner le statu quo. C'est pourtant ce possible renouvellement qui rend, selon moi, la vie intéressante à tout âge. Il y a tant de choses que je ne voulais pas faire et qui, au bout du compte, ont été les plus belles réalisations de ma carrière. Je venais d'avoir 79 ans quand j'ai tenu mon premier rôle dramatique, en acceptant de tourner *The Sunshine Boys*. J'ai même tenu le rôle de Dieu à 81 ans. Pour dire vrai, cela m'est arrivé deux fois. Ce fut tellement intéressant que je suis prêt à reprendre une troisième fois l'expérience. Vous savez, les «Dieu» avec expérience ne courent pas les rues... J'avais 84 ans quand Charlie Fach, de Mercury Records, vint me voir pour me proposer une nouvelle chanson dont le titre est particulièrement évocateur: «I Wish I Was 18 Again» (Je souhaiterais avoir toujours 18 ans). Je trouvai mille prétextes pour ne pas chanter; je soulignai mon accent new-yorkais qui ne correspondait pas, à mon avis, à ce que cherchait la Mercury Records. Charlie me fit ensuite part du montant que son entreprise voulait consacrer au contrat. Cela m'a convaincu en moins de temps qu'il ne lui a fallu pour dire le chiffre au complet. Heureusement, la chanson remporta un grand succès. Je n'avais pas l'impression d'avoir roulé mon patron. J'en suis maintenant au troisième album et l'aventure est loin d'en être au point mort. En fait, tant que l'orchestre arrivera à me suivre, nous produirons d'autres disques. Ce n'est pas l'envie qui me manque.

Il est un vieux dicton qui dit que c'est à 40 ans que la vie commence. C'est fou. La vie commence tous les matins, au lever du lit. Un vieux dicton... Pourquoi au fait, les dictons sont-ils toujours vieux? Comment se fait-il que personne ne se mette à créer de jeunes dictons? Tiens, voilà une bonne idée. Nous disions donc: «La vie commence tous les matins.»

Avant de clore le chapitre, je tiens à revenir au commentaire que je n'ai pas su formuler sur le coup, alors que je parlais de George Washington, il y a de cela quelques pages. Question d'être quitte avec vous et ma conscience, je place ici le commentaire manquant. Je reprends donc: «Il savait mener les hommes et suivre les femmes. Voilà qui vaut mieux que de savoir mener les femmes et suivre les hommes.» Satisfait?

Avant de clore le chapitre (encore une fois), je veux revenir à la question de l'attitude. Ce n'est pas parce que les années s'accumulent que l'on ne peut vivre une vie active et enrichissante. Soyez-en convaincu. N'attendez pas que le temps passe, agissez sans tarder. Traversez la Manche à la nage; cherchez le remède universel du rhume commun; soyez le premier à sauter les chutes Niagara en chaise berceuse; créez des dictons afin de faire petit à petit disparaître les vieux dictons. Les perspectives ne manquent pas, voyez-vous, pour qui veut bien s'y mettre.

Si après tout cela vous vous sentez toujours vieux, tâchez de faire quelque chose de bien pour quelqu'un qui ne s'y attend pas. Les scouts ont toujours su se débrouiller dans ce genre d'imbroglio. Vous verrez combien les B.A. vous tranquilliseront la conscience. Combien de fois j'ai voulu aider les jeunes filles à traverser la rue... dans l'espoir de les amener jusque chez moi. Si j'avais pris la peine de tenir mes notes à jour, je détiendrais à coup sûr le record mondial en la matière.

Au fond, avec un peu de chance et autant de bonne volonté, il n'y a aucune raison pour que vous ne viviez pas jusqu'à 100 ans — ou plus. Une fois que vous aurez passé le grand cap et que vous aurez un siècle, la cause sera gagnée; car la mort est moins gourmande avec les centenaires. (Connaissez-vous, en effet, beaucoup de gens qui meurent à plus de 100 ans?)

Addenda
(ou: en guise de conclusion

Quand je suis sur scène, le rire des spectateurs est la seule chose qui m'intéresse vraiment. C'est d'ailleurs pour cela que les gens viennent me voir. Le métier d'écrivain n'est malheureusement pas aussi simple. L'auteur est responsable de ce qu'il écrit. Je m'inquiète donc du fait qu'il soit possible que le présent livre contienne quelque information pas tout à fait exacte... Je sais, l'erreur est humaine. Cela m'empêche néanmoins de dormir. (Pas vraiment, à vrai dire, puisque je fais quand même mes nuits sans problème, là n'est pas la question.) N'empêche que j'ai de plus en plus de difficulté à m'endormir à l'heure de la sieste. Ce que je viens d'écrire prouve justement ce que j'avance. J'écris une ligne que je corrige aussitôt. Et si ce genre d'erreur s'était produite tout au long du livre, sans que j'en prenne conscience? Vous voyez d'ici la catastrophe! Les écrivains, comme le commun des mortels, ont une conscience. Vous direz qu'il est toujours possible de corriger mon livre avant qu'il aille sous presse. Je ne crois pas que mon inquiétude justifie le travail qu'il me faudrait pour tout relire.

Rien que d'en parler, voilà que je me rappelle certaines choses. Dans le chapitre consacré aux diètes, je me souviens avoir prétendu que le déjeuner du lundi matin comptait quatre prunes. C'est faux. Je me souviens d'un lundi matin, c'était en mai je crois, au lendemain d'une soirée de jeûne, où j'ai mangé cinq prunes.

J'ai écrit par ailleurs que Ponce de Leon était mort à l'âge de 26 ans. Là encore, il y a erreur. Il est mort à 61 ans. Mais c'est ridicule de dire que celui qui cherchait la fontaine de Jouvence est mort vieux. Une fois parti, j'aurais dû le faire mourir à 24 ans.

En parlant de Georgie Jessel, j'ai dit que j'étais un jour attablé, attendant tranquillement le repas. C'est faux. J'attendais debout.

Il est aussi possible que je vous aie donné l'impression de quelqu'un qui passe ses soirées à sortir en compagnie de jolies filles. Je dois reconnaître que c'est tout à fait faux. Dans la plupart des cas, je ne sors pas; ce sont elles qui viennent à la maison.

Puisque nous en sommes au temps des confidences, allons au bout des choses. Ce que je vais vous dire risque de vous choquer mais tant pis! Voilà: «Je n'ai pas écrit ce livre seul.» J'ai eu beaucoup d'aide car ils étaient quatre à collaborer à mon travail: Hal Goldman, Fred Fox, Seaman Jacobs et Harvey Berger. Sans leur aide et leurs nombreux conseils, il ne fait aucun doute que ce livre aurait été dix fois plus réussi.

Ne vous laissez pas non plus berner par la photo de mes collaborateurs. Ils ne sont pas aussi drôles qu'ils en ont l'air. Harvey, celui qui a une certaine ressemblance avec William Penn, en était à son pre-

183

mier travail de collaboration avec moi. Les autres sabotent mes idées depuis des années. J'aurais dû me douter de ce qui m'attendait.

Au fond, je les aime bien quand même. Ils sont gentils et ont un sens de l'humour hors du commun. Ils passent leur temps à rire de mes blagues. Si vous voulez tout savoir, la raison pour laquelle j'accepte leur collaboration est simple: ils chantent juste. J'aurais aimé ajouter quelques mots sur Harvey, mais il me fait signe de renoncer. Je lui ferai donc plaisir.

En passant, je vous donnerai un conseil. Ceux qui, après avoir lu ce livre, ne réussiront pas à vivre jusqu'à 100 ans — ou plus — auraient intérêt à poursuivre mes collaborateurs à ma place. Eux, au moins, auront assez d'argent pour faire face à la justice.

La liste de ceux que je me dois de remercier ne s'arrête pas là. Il y a encore Irving Fein, mon agent, qui est l'époux de Marion Fein, son agent. Irving a su insuffler aux membres de l'équipe le courage nécessaire pour mener la tâche à bien. Je ne saurais vraiment dire combien de fois en effet, il a ouvert la porte du bureau en criant à la ronde: «Ça va?» Ce qui prouve que chacun participe comme il peut.

Il y a aussi Jack Langdon, mon secrétaire, qui a dactylographié l'ensemble du livre. Voilà trente ans qu'il me suit partout... (C'est tout ce que j'ose dire de lui.)

Je ne voudrais pas oublier mon agent littéraire, Arthur Pine. J'ai essayé de le convaincre d'attendre que j'aie 100 ans pour toucher sa commission, prétextant que l'argent aurait alors plus de valeur, mais il n'a rien voulu entendre. Il faut dire que s'il est

L'auteur avec son Oscar. Cela n'a rien à voir avec le sujet de ce livre, mais tout compte fait, c'est un bon moyen pour impressionner les lecteurs.

bon agent, Harry n'a jamais rien compris aux affaires d'argent.

Il y a encore le photographe, à qui l'on doit les photos qui illustrent si bien mon propos: Peter C. Borsari. (Dans le métier, on prétend que son second prénom est Clic.)

Les trois filles qui ont accepté de partager mes séances d'exercices sont Stephanie Black, Tonya McCollom et Jo Connel. Leurs mensurations combinées donnent un résultat remarquable: 2,60 m — 1,82 m — 2,60 m .

Les deux jeunes gens dont les photos illustrent joliment bien le chapitre traitant des soucis, du stress et de l'hypertension sont Jeff Severson et Dorit Stevens. Vous verrez Jeff au grand écran dans peu de temps et je souhaite voir Dorit chez moi mardi soir prochain.

Je m'en voudrais d'oublier Daniel et Arlette D'Hoore, qui travaillent pour moi. Arlette est celle qui s'occupe des prunes avec une remarquable conscience professionnelle.

Je mentionnerai enfin Robert Redford, Elizabeth Taylor, Cary Grant, Bo Derek, Frank Sinatra, Cathy Carr, Walter Matthau, Katherine Hepburn, Jack Lemmon, Helen Hayes, Sammy Davis, Cathy Carr, Burt Reynolds, Dolly Parton, Fred Astaire, Lucille Ball, Bob Hope, Cathy Carr et Gregory Peck.

Tous ces gens n'ont rien à voir avec ce livre. C'est pour cela que je ne les ai nommés qu'à la fin. Si je vous avais donné leurs noms au début du chapitre, j'aurais dû fournir une explication valable, dont vous vous passerez bien maintenant. J'ai donc fait les choses dans le bon ordre.

Ne vous étonnez pas si vous avez remarqué que le nom de Cathy Carr apparaissait trois fois; c'est une bonne amie à moi...

En toute fin de travail, je tiens à remercier Phyllis Grann, le dernier mais non le moindre de mes collaborateurs puisque c'est l'éditeur. Phyllis est, soit dit en passant, une fort jolie dame. Maintenant qu'elle est mon patron, j'espère que j'aurais au moins le plaisir d'être victime de harcèlement sexuel. On en parle tant ces temps-ci...

IMPRIMÉ AU CANADA